生き抜くための読書術

佐藤 優

扶桑社

まえがき

予測が難しい時代がやってきた。

世界のエリートが年に1回スイスのダヴォスに集まる世界経済フォーラム（通称ダヴォス会議）という会合がある。この会合で'18年と'20年に基調報告を行ったのはイスラエルの歴史学者で未来学者のユヴァル・ノア・ハラリ氏だった。ハラリ氏はベストセラー『ホモ・デウス』で、人類は飢餓、疫病、戦争を克服しつつあり、近未来にはＡＩとバイオテクノロジーを駆使して健康を維持しつつ１００歳以上生きるようになる神のような人間（ホモ・デウス）がエリート層に生まれるであろうと予測した。

しかし、現在、このような楽観的な見通しを持つ人は少ない。飢餓、疫病、戦争のいずれも人類が克服しつつあるとは到底言えないからだ。疫病については、'19年12月に中国の武漢で感染が確認され、'20年初めから猛威を振るっている新型コロナウイルスによるパンデミックが'23年3月時点でも続いている。また、戦争については'22年2月24日にロシアがウクライナに侵攻してから事態が抜本的に変化した。当初、この戦争はウクライナ東部のドンバス地域（ルハンスク州とドネツク州）に住むロシア系住民の処遇をめぐるロシアとウクライナの二国間紛争だった。しかし、現時点で戦争の性格が変化している。この戦争はロシアvs.（ウクライナを支持する）西側連合の間の〝価値観戦争〟になってしまった。西側連合からすれば、民主主義vs.独裁、ロシアからすれば真実のキリスト教（正教）vs.悪魔崇拝（サタニズム）の戦いだ。このような価値観戦争は、一方が他方を壊滅しない限り終結しない。

ただし、ロシアの西側連合も核兵器を保有していることを忘れてはならない。核兵器を使用して人類を破滅させるというリスクを負ってでも自国の敗北を避けようとする国が出てこないという保障はどこにもない。一刻も早い停戦が求められると筆者は考えるが、残念ながら日本の論壇で筆者と同じ考えの人は圧倒的少数派だ（ただし、民衆の中には筆者と価値観を共有する人が多数派と思っている）。

ウクライナ戦争によって食糧の流通が滞るようになって、中東やアフリカでは飢餓が深刻になっている。今のところ食糧危機に関する日本人の意識は低いが、異常気象やウクライナ戦争の影響によって日本でも食料品の急速な価格高騰が起きる可能性が十分ある。

日本経済も調子がよくない。日本が「金持ち国」だったのはもはや過去の話だ。1人あたりのGDPで韓国に追い抜かれている。米国のニューヨークのラーメン屋で普通のラーメンに餃子を注文すると5000円はとられる。日本国内でも外国人客の多い5つ星ホテルのカフェでは牛丼が1杯6000円だ。現在、20代、30代の人で、現在の会社がいつまでもつかと不安に思っている人も少なからずいると思う。

いろいろな思いがあるにしても、誰もが生き残っていかなくてはならない。読者から寄せされた身の回りの問題から国際情勢まで、生き残るための真摯な問いかけに筆者は全力で答えてきたつもりだ。『週刊SPA!』での連載並びに本書の刊行に当たっては編集部の池垣完さんにたいへんにお世話になりました。どうもありがとうございます。

'23年3月29日　曙橋（東京都新宿区）の自宅にて

佐藤　優

生き抜くための読書術

第二章 日本の政治・経済編

第三章　コロナと貧困編

第四章　人間関係・仕事編

第一章 世界情勢編

第001回

なぜロシアは国際世論の反発を承知で侵攻したのか？

相談者●社会人○年生（ペンネーム）会社員 26歳 男性

ロシア情勢の専門家である佐藤さんに、教えてほしいことがあります。なぜ、ロシアは執拗にウクライナを傘下に収めようとしているのでしょうか？　最近のウクライナ情勢をめぐる報道を見ていても、なぜロシアと西側諸国がウクライナを挟んで衝突しているのか、イマイチわかりません。西側諸国がロシアのウクライナ侵攻を阻止したかったのは当然のことのように感じますが、国際世論の反発を承知でロシアがウクライナに侵攻した理由が知りたいです。勉強不足で申し訳ありませんが、教えてください。

プーチン大統領は国家連合を目指している

ロシアの政治学者アレクサンドル・カザコフ氏（モスクワ国立大学留学時の私の同級生で親友です）は、プーチン大統領の国家戦略についてこう述べています。

〈ロシアがその一〇〇〇年の歴史において幾度となく示してきた、さまざまな民とさまざまな宗教が隣り合って平和的に生活することを確立する能力、これはロシアの世界文化への貢献というのみならず使命でもある。ロシア文明は、さまざまな民が自身は自身のまま変わることなく、その民族的独自性と伝統を保持しながら平和と和合の中で暮らしているという未来像を世界へ提示することができる。〉（『ウラジーミル・プーチンの大戦略』３６２頁）

プーチン大統領はウクライナ人、ベラルーシ人をロシア人の兄弟民族とみなし、将来的な統合を考えています。連邦制国家の樹立ではなく、条約に基づいた国家連合を目指しているのだと思います。しかし'14年以降、ウクライナは反ロシア政策を基調にしました。

現在、ウクライナ東部のルハンスク州（ロシア語ではルガンスク州）とドネツク州、および南部のザポリージャとヘルソンの４州がロシアに併合されています。ゼレンスキー大統領は全州全域に対するキエフ中央政府による実効支配の回復を目論んでいます。ただし、東部と南部の４州には特殊な事情があります。帝政ロシア時代からソ連時代を通じて、４州の人々はロシア語を話し、ロシア正教を信じています。ロシア人としてのアイデンティティを持っている人々です。ソ連時代のキエフでも人々はロシア語を話していましたが、現在ではウクライナ語を話します。特にハリキウ州（ハリコフ州）、ルハンスク州、ドネツク州などの東部地域で日常的に用いられているのはロシア語ですが、学校教育を通じて徐々にウクライナ語も浸透してきました。言語はアイデンティティに影響を与えます。この地域に住む人々はロシア人とウクライナ人の複合アイデンティティを持つようになりました。'14年以降の紛争の過程で同地域の人々はいずれかを選択することを余儀なくされました。

'22年9月にロシアに併合された地域に住む人々の多くはロシア人としてのアイデンティティを強く持ち、統合を欲しておらず、ロシアに併合されることを望んでいました。ロシアでは14歳以上の国民に国内パスポートを発給していますが、親ロシア派武装勢力が実効支配した地域ではロシアが侵攻を始めた'22年2月時点で70万人以上がこの国内パスポートを受領していました。ゼレンスキー政権が武力でルハンスク州、ドネツク州全域の支配を回復しようとした場合、70万人のロシア人はそれに抵抗して武器を取って戦います。そうなれば、ロシアのプーチン大統領が自国民を保護しなければ政権の基盤が揺らぎます。ロシアのさらなる侵攻を避けるためには、ウクライナ政府がルハンスク州、ドネツク州の状況を変更しないことが不可欠でした。

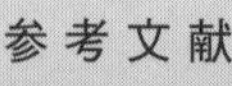

ウラジーミル・プーチンの大戦略
アレクサンドル・カザコフ（原口房枝 訳）
東京堂出版

プーチン大統領のイデオロギーや政治哲学の源泉とは？ 過去20年の論文や発言をもとにロシアの政治学者が分析した、プーチン解体新書ともいえる一冊。'21年刊

第002回

ロシア正教はなぜプーチンの戦争を容認したのか?

相談者●こどおじ(ペンネーム)自営業者 49歳 男性

ロシアがウクライナに侵攻するときにプーチンは「ウクライナはロシア正教を破壊しようとしている」と言ってました。ロシアが宗教的対立を理由に侵略戦争を仕掛けたのだとしたら、それは建前なのか、本音なのか。そして、たとえウクライナのロシア正教信徒を解放するためとはいえ、開放戦争はロシア正教の教義に則ったものといえるのでしょうか?汝、殺すなかれという友愛精神で対立を解消することはできないのでしょうか?

ロシア正教会は軍事行動を祝福している

正教会は個人主義的態度を嫌います。日本ハリストス正教会は、モスクワ総主教庁(いわゆるロシア正教会)の傘下にある自治教会です。ちなみに正教会では、イエス・キリストをイイスス・ハリストスと表記し、信徒の社会的姿勢についてこう記します。〈イイスス・ハリストスご自身も、ご自分が属す社会に責任をはたされました。信仰をもつことは、社会とは関係ないという個人主義的な生活態度にならないように課せられた義務をはたすことも信者の務めです。このことから信者は福音を基盤として社会の連帯の責任をはたして、すべての人々の平和や幸福のために努めなければなりません。〉（『正教要理』158～159頁）

日本の場合、正教徒は少数派ですので、教会と国家の結びつきはほとんどありません。しかし、ロシア、ギリシャ、ブルガリア、ルーマニアなど正教会が主流の国家では、教会は国家の政策を基本的に支持する傾向にあります。特にロシア正教会は、帝政ロシアの時代、ソ連時代、ソ連崩壊後を通じて国家の政策を支持、もしくは追認する傾向が強いです。しかも正教会は、絶対平和主義の立場を取らず、「正しい戦争」を認めます。ロシア正教会の最高指導者であるキリル総主教は、プーチン大統領が始めたウクライナでの「特別軍事行動」を祝福（宗教的に正しいので支持すること）しています。

〈ロシアのウラジーミル・プーチン大統領の盟友であるキリル総主教は、今回の戦争について、同性愛の受容を中心に退廃的であると同師が見なす西側諸国への対抗手段であると考えている。／キリル総主教とプーチン大統領を結びつけるのは、「ルースキー・ミール」（ロシア的世界）というビジョンだ。専門家の説明によれば、「ルースキー・ミール」とは、旧ソ連領の一部だった地域を対象とする領土拡張と精神的な連帯を結びつける構想だという。／プーチン氏にとってはロシアの政治的な復権だが、キリル総主教から見れば、いわば十字軍なのである。〉（'22年3月14日「ロイター」）

ウクライナの宗教事情は複雑です。ウクライナ・ナショナリズムの中核になっているのは、見た目は正教会に似ていますが（下級司祭は妻帯している。カトリック教会は独身制、正教会のようにイコン［聖画像］を崇敬する）、ローマ教皇の指揮命令に従うユニエイト教会（東方典礼カトリック教会）です。ユニエイト教会に対するロシア正教会の忌避反応は強いです。

さらにウクライナ正教会は、モスクワ総主教傘下にあるものと反ロシア的傾向の強いコンスタンチノープル（トルコのイスタンブール）傘下の教会に分裂しています。ロシア正教会はこの教会分裂も、ウクライナ政権によって政治的に行われたものであると反発を強めていました。このような事情から、ロシア正教会はプーチン大統領の戦争を支持しています。

参考文献

正教要理

正教要理
日本ハリストス正教会教団

ロシア正教会の教理をわかりやすく説明した一冊。洗礼や堅信礼などのサクラメント（神の恩寵を信徒に与える儀式）の前に行われる入門教育で用いられる。'80年刊

第003回

ロシアよりウクライナのアゾフ大隊が怖いです

相談者●リモート社畜(ペンネーム)会社員 32歳 男性

日本では大きなニュースにならなかったように感じるのですが、佐藤さんはウクライナ軍のアゾフ隊についてどのようにお考えでしょうか? この組織は極右やネオナチと以前から言われていたようですが、海外のSNSを見ていると「アゾフ隊に殺されそうになった」と訴えるウクライナの避難民もいたようです。同じウクライナの人間がウクライナの人を攻撃する理由がわかりませんが、そんなことはあるのでしょうか?

ウクライナ至上主義以外は非国民扱いされる

アゾフ大隊はウクライナ内務省の傘下にある武装集団です。その思想はウクライナ民族至上主義です。ウクライナ国民でもこの立場を取らない者は「非国民」と見なす傾向があります。日本ではあまり報じられませんでしたが、ロシアのメディアではアゾフ大隊の残虐行為が毎日のように報じられていました。もっともウクライナ民族至上主義の立場に立つのはアゾフ大隊だけではありません。

〈CNNは、ウクライナ北東部ハリコフ州でウクライナ兵らが捕虜のロシア兵らをひざまずかせ、銃撃した場面とされる投稿動画をインターネット上で入手。6分弱の動画には、ウクライナ兵らがロシア国境から約30キロのオルホフカ村で活動していたロシア軍の偵察班を捕らえたと話す声が入っているという。（中略）ウクライナ国防省は軍司令官が声明で応じ、ロシア軍がウクライナ軍への不信感をあおるため動画を偽造しているなどと主張。〉（'22年3月30日『日刊ゲンダイ』）

戦争中に、当事国の公式筋が自らの軍隊が残虐行為を行っていると認めることはありません。しかし、米国を代表するメディアであるCNNが、明らかにロシアによる情報操作と思われるような動画を放映する可能性は低いと思います。日本はこの戦争の当事国ではないのですから、事実に即してウクライナ側に問題があればそれを指摘すればいいと思います。もちろん、それによってロシアの侵略行為が是認されるわけではありません。

ウクライナ問題について、西側の政治指導者で現実的思考をする人が少なくなっています。アンゲラ・メルケル前ドイツ首相の時代は状況が異なりました。'14年のウクライナ危機のとき、メルケル氏はロシアのプーチン大統領との対話を徹底的に行いました。

〈内心では怒りに震えながらも、メルケルはロシアがウクライナを攻撃している間にプーチンと三八回の会話を交わしている。「二人は毎日のように連絡を取り合っていました。メルケルは、攻撃的でこれ見よがしなプーチンの姿勢をなんとかトーンダウンさせようと辛抱強く対話を続けたのです」。メルケルの交渉チームの一員だったヴォルフガング・イシンガーが振り返る。メルケルはこの戦争を極悪非道でまったく正当化できないと考えており、プーチンにこの戦争から手を引かせるための出口をなんとしても用意すると心に決めていた。彼女の個人的な見解（それは嫌悪感と表現しても言い過ぎではない）がどうであろうと、対話を続ければ最後にはプーチンを現実に引き戻すことができるだろう、とメルケルは感じていた。〉
（『メルケル　世界一の宰相』２５７頁）

　自らの価値観には反していても、戦争の拡大を防ぐためには、対話を通じ、プーチン氏の論理を理解するように努めるというメルケル氏の姿勢こそが歴史の検証に耐えることのできる優れた政治家のアプローチと思います。

参考文献

メルケル
世界一の宰相
カティ・マートン（倉田幸信／森嶋マリ 訳）
文藝春秋

東独出身の理系少女が権力の頂点に立てたワケとは？　初の女性首相として独をEUの盟主へ導き、世界各国の首脳と渡り合ったメルケル前首相の決定的評伝。'21年刊

第004回

プーチン大統領が高支持率を維持できたのはなぜか?

相談者● 大国(ペンネーム) 会社員 32歳 男性

なぜ、プーチンはロシア国内で8割という高い支持率を維持してきたのでしょうか? いくら情報統制を行っているといっても、ロシア国民にも少なからず西側メディアの情報に接する機会はあるはずです。北朝鮮のような鎖国状態の国ならともかく、外国資本も受け入れており、国外でも多くのロシア人が働いている国で、外国からとてつもない反発を呼んでいる戦争を仕掛けているプーチンが絶賛されているのが不思議でしょうがありません。そんなにロシアでは海外の情報に接する機会がないのでしょうか? それとも、戦争や虐殺はロシア人にとって非難の対象ではないのでしょうか?

プーチン氏は総意による基盤に依拠している

ロシアがウクライナに侵攻した後、プーチン大統領の支持率は上昇しました。〈ロシアの独立系調査機関レバダセンターが3月に実施した調査で、プーチン大統領の支持率が83%と4年ぶりの高い水準になった。「支持しない」と答えた15%を大きく上回り、ロシア軍のウクライナ侵攻後も支持率の上昇が続いている。／プーチン氏の支持率は2月時点の調査では71%で前回調査よりも12ポイント上昇した。〉（'22年4月2日『日本経済新聞』）

レバダセンターは、ロシア政府と緊張関係にあり、欧米のマスメディアと提携している世論調査機関です。ここでの世論調査結果は信頼度が高いです。外国語を熟知し、国外留学経験もあり、欧米のマスメディアの報道に通暁しているロシアの知識人も大多数はプーチンの「特別軍事作戦」を支持しています。戦争なので、ロシア軍がウクライナ人を殺すこともあれば、ウクライナ軍がロシア人を殺すこともあります。それぞれの政府は、互いに相手国による虐殺だと非難するのは戦時下の常套手段であるというのが大多数のロシア人の認識です。西側がロシア軍の虐殺事件をいくら非難してもロシア世論にはほとんど影響を与えません。

現在のロシア人の考え方をわかりやすくまとめているのが、フランス生まれで米ジョージ・ワシントン大学ヨーロッパ・ロシア・ユーラシア研究所所長のマルレーヌ・ラリュエル氏の見解です。彼女はロシアの主流派の思想についてこう述べています。

〈ロシアの思想的主流は、はるかに従来型の、総意による基盤に依拠している。それは、ブレジネフ時代へのソ連ノスタルジーと、１９９０年代への批判と、西側の偽善と道徳的頽廃とみなされるものに挑む新しい世界秩序への要求とを組み合わせたものである。（中略）ドクトリン上の多元性、輪郭の不明瞭さ、メタファーを育みながらも、この主流派はイデオロギーを市場ベースの論理で考えている。矛盾をはらむ諸理念は、体制に関する最大限可能なコンセンサスを守るために、それぞれミクロレベルのターゲットとなる受け手に合わせて巧みに作り上げられる。／もしも、これらすべてをカバーする主流のイデオロギー潮流を名指すとすれば、筆者が先に定義した意味での反リベラリズムである。それは、２０１９年にプーチンが明言したように、リベラリズムは今や「時代遅れ」で「目的を失った」という批判と、主権イデオロギー――国家主権、経済的主権、文化・道徳的主権――への回帰を併せ持つものである。この反リベラルな雰囲気は、ニュアンスの違いこそあれ、国民の多数派と、シニカルなアプローチをとるエリートの大半によって共有されている。〉（『ファシズムとロシア』２８８～２８９頁）

プーチン氏の発言や行動は、大多数の国民が意識的もしくは無意識に思っていることをかたちにしたにすぎません。

参考文献

ファシズムとロシア
マルレーヌ・ラリュエル（浜由樹子 訳）
東京堂出版

ファシズム国家のレッテルを貼られるロシアを、プーチン体制の構造や地政学的戦略などから分析。ロシアとヨーロッパの将来を占ううえで必読の一冊。'22年刊

第005回

'21年の反プーチン運動でロシアは変わらなかったのか?

相談者● 春(ペンネーム) 製造業勤務 48歳 男性

'21年1月にプーチン政権が野党指導者のナワリヌィ氏を拘束し、2月には刑務所に移送して、ロシアでは大規模なデモが起きました。このとき私は、ロシアは一時期の香港のように反政府活動が常態化するのではないかと感じました。日本では考えられないほど豪華な秘密の大邸宅を暴露されて、プーチン大統領個人に対する怒りも爆発寸前のように思えました。今後、ロシア革命、ソ連崩壊などを経験してきたロシアは再び革命的転換期を迎えるのではないでしょうか? ロシアの春は起こりうるでしょうか? また、こうした反プーチン運動は日本に影響を及ぼさないでしょうか?

プーチン大統領の権力基盤は揺らいでいない

'21年1月23日と31日にロシア全土で反政権活動家のアレクセイ・ナワリヌィ氏の釈放を要求する無許可デモが行われました。しかし、これがプーチン大統領の権力基盤を脅かすことはありませんでした。ロシア当局の対策が抗議運動を抑え込むことに成功したからです。

　日本や欧米で考えられているよりもロシアでは言論と表現の自由が認められています。ロシアのテレビや新聞は政府の統制下にありますが、独立系インターネットテレビは本格的な取材体制と施設、機材を持って活動しています。デモにも各地に記者を派遣し、中継を行っていました。'22年2月のウクライナ侵攻前まで、ロシア政府はこれらの反政権的な放送をするテレビを遮断する、会社を解散させるなどの強硬措置は一切取ってきませんでした。ナワリヌィ氏も拘置所から動画のメッセージで政権打倒とデモへの結集を訴え、それがユーチューブなどで流されていました。デモの際にユーチューブの「ナワリヌィ・チャンネル」は「集会に参加して逮捕されたら、すぐにこの番号に連絡せよ。弁護士を無料で派遣する。十分な人数の弁護士がいる。逮捕を恐れるな」と煽っていました。ネットを規制することによるマイナスを十分に計算したうえで、当局はあえて現状を放置したのです。

　この当時の2度のデモを比較してみると抗議運動の勢いが失われていった様子がわかります。独立系メディアによると1月23日は10万人以上の人々が集まりましたが、31日は半数程度でした。デモ参加者の多くは学生でした。生産活動の中心をなす年齢の人々は参加していません。この人々は安定した生活を望み、社会的混乱が生じることを危惧していました。積極的に政治的意思を表明しない大多数のロシア人は、ナワリヌィ氏によって混乱が生じるよりも、多少の汚職があってもプーチン政権が続いたほうがましと考えていました。これはソ連崩壊に対するロシア人の認識と関係しています。政治学者の藤原帰一氏（東京大学大学院教授）がこんなことを述べています。

〈冷戦の終結はロシアから見れば、ソ連の解体であって、敗北です。西側から見れば、資本主義経済になり、政治体制が民主化していくのは、ロシアの人々の解放に見えますが、ロシアにとっては自らの権力を喪失していく過程にほかなりません。〉（『日本一ポップな国際ニュースの授業』168頁）

ロシアでは、ゴルバチョフ政権末期からエリツィン政権の時代を「混乱の'90年代」と呼びます。あのような混乱だけはもう嫌だというのがロシア人の平均的な感覚です。ナワリヌィ氏を支援する西側諸国の人権介入はロシア政府だけでなく大多数の国民から内政干渉と受け止められ、反発を招いていました。日本政府はこのあたりの事情をよく理解しているので、ロシアに圧力をかけませんでした。

参考文献

日本一ポップな国際ニュースの授業
藤原帰一／石田衣良
文春新書

バイデン大統領は世界をどう導くのか？　中国の野望は？　第3次世界大戦は起きるのか？　世界が直面する事態について、政治学者と直木賞作家が解説。'21年刊

第006回

岸田首相によるウクライナ訪問の意味とは？

相談者●スノー（ペンネーム）会社員 47歳 男性

「岸田首相も行くべき」という声が高まるなか、ついに岸田首相がウクライナを電撃訪問しました。G7でゼレンスキー大統領と会っていないのは日本だけとメディアは騒ぎ立ててきましたが、バイデン米大統領がウクライナを訪問する以前は、「軽々と日本の首相がウクライナに行くべきではない」という意見も多かったように記憶しています。佐藤さんは以前から日ロの繋がりが深いことを前提にロシアを刺激するような行動は慎むべき、そして戦争を終わらせるのでなく「停戦」をいち早く実現すべきだということを主張されていたと思います。岸田首相のウクライナ訪問にはどんな意味があるとお考えでしょうか？

日本は〝戦後〟を視野にロシアと対話すべきだ

岸田文雄首相のウクライナ訪問は、今後の国際政治にも日ロ関係にも大きな影響を与えないと思います。ロシア側の反応が非常に抑制的だったからです。'23年3月23日の定例記者会見でロシア外務省のザハロワ報道官はこう述べました。

〈質問：習近平氏のロシア訪問と並行して、日本の首相がキーウを訪問した。日本のこの行動をどう評価しますか？

回答：G7の枠組みで日本がキエフ（キーウ）訪問の計画を実行する必要があったのでしょう。ワシントンの論理に従って行動し、その圧力の下で行動するすべての人々は自らが行った訪問について報告しなければならない日程表があるのです。ロシアのプーチン大統領と中国の習近平国家主席の会談から焦点をズラすためだったのかもしれませんが、両者を比較することはできません。日本の立場やキエフ政権の状態は、すべて理解可能なので、私たちが心配することはほとんどありません。〉（ロシア外務省HPより／筆者訳）

ロシアの対応が抑制的だった理由は2つあります。まず、訪問が不意打ちではなく、クレムリン（ロシア大統領府）に事前通報していたからです。公式には認めていませんが、〈政府が岸田文雄首相のウクライナ訪問をロシアに事前通告していたことが22日、分かった〉（3月22日『日本経済新聞』）という報道は事実であると私も確実な筋から確認しています。

ロシアが最も懸念していたのは、日本がウクライナに武器を供与することですが、殺傷能力を持たない装備品を40億円分供与するにとどまりました。自衛隊が購入する戦闘機F35の値段が1機約150億円、高速道路の建設費が1㎞あたり約50億円であることと比較すれば、40億円は微々たる額で、日本の国力と比較しても小さすぎます。ロシアは岸田首相のロシア非難の言葉よりも、日本の行動を見て抑制的な対応を決めたのだと思います。
一般論としていつまでも続く戦争はありません。日本はウクライナ戦争終了後のロシアとの関係を視野に入れてやらなくてはならないことがあります。それは対話です。朝日新聞の元モスクワ支局長の副島英樹氏（現編集委員兼広島総局員）はこう述べます。
〈ロシアは、強い国家を維持しないと安定しないという意識が強い国だと感じる。自由・民主主義の価値観を押しつけるだけでは、かえって紛争の火種を生んでしまう。これは対ロシアだけのことではない。／その意味で、ロシアを排除して孤立させることが果たして事態を好転させているのだろうか。むしろ事態を深刻化させていないだろうか。中国とも同様のことが起こらないか、不安で仕方がない。対話と相互尊重がなければ、事態好転の糸口はありえない。〉（『ウクライナ戦争は問いかける』224頁）
私もそのとおりと思います。

参考文献

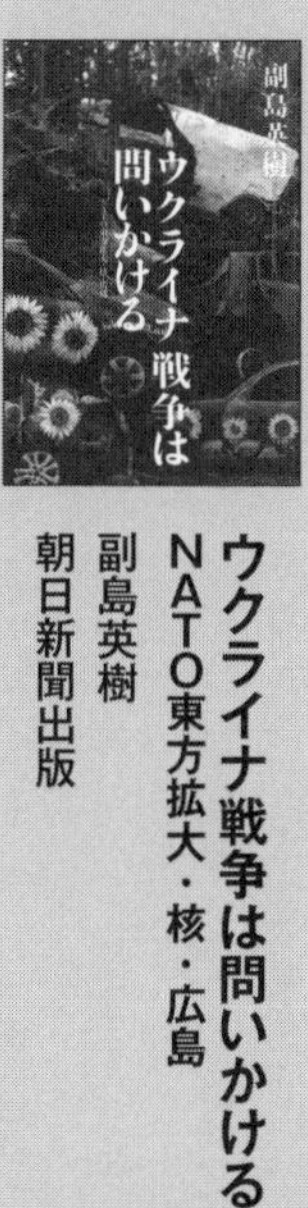

ウクライナ戦争は問いかける
NATO東方拡大・核・広島
副島英樹
朝日新聞出版

朝日新聞元モスクワ支局長の著者がNATOの東方拡大、米ロ軍備競争、冷戦時代の交渉の舞台裏などから、ウクライナ危機に至る国際情勢を分析。'23年刊

第007回

'15年の鳩山元首相のクリミア訪問に意味はあったのか?

相談者●ルーピー(ペンネーム) 派遣社員 36歳 男性

佐藤さんに質問です。'15年3月に鳩山由紀夫元首相が、ロシアが一方的に併合したクリミアを訪問しました。これにはどんな意図があったのでしょうか? 過去には中国に行って、尖閣諸島は「領土問題だ」と日本の立場と異なる主張をし、もっと昔の政権交代のときは沖縄米軍基地に関して「最低でも県外」と無謀な公約を掲げたり、外交面ではめちゃくちゃなことをしてきた印象しかありません。これ以上、日本の国益を損ねたりすることがないよう、パスポートをはく奪するなどしたほうがいいと思うのですが、どうでしょうか?

真意を伝えない独自民間外交は空回りする

クリミア情勢は複雑です。'14年に池上彰さんとの共著で上梓した本で、その当時のクリミアの事情について、詳しく説明しました。そのポイントは以下の点です。

〈佐藤 〈先住民族の〉クリミア・タタールという共通の敵がいることによって、クリミアでは、ロシア人とウクライナ人の仲はいい。一方、タタール人は、ムスリムで産児制限をしないから、人が溢れて職にあぶれる。そこへアルカイダ系が入って来る。非常に難しい地域です。今回、ウクライナの首都キエフで、ウクライナ民族主義的な勢力が権力を握れば、おそらくクリミアの自治は廃止になります。「それならロシアに入りたい」という思いが、クリミアでは強かったのです。

池上　二〇一四年三月にロシアへの編入の是非を問う住民投票が行われましたが、その結果が示す通りですね。

佐藤　そうです。プーチンもそこのところはよくわかっている。プーチンが電話でクリミア・タタール人の指導者と話したのも、この先住民族の意志がクリミアをロシアに編入する際に鍵を握ると考えたからです。つまり、タタール人を半分に割って、ロシア側に入るタタール人もいるようにした。ロシアが編入したときのクリミアの憲法においても、公用語としてロシア語とウクライナ語とクリミア・タタール語の三つが入っています。クリミア・タタール人対策さえきちんとやっておけば、編入を進められる、という読みと配慮があったということです。〉（『新・戦争論　僕らのインテリジェンスの磨き方』１００～１０１頁）

もっとも、当時のクリミアでの住民投票は国籍不明軍（実はロシア軍）が展開するなかで行われました。こういう状況下で表明された民意は、国際法的な効力を持ちません。

日本政府は、日本国籍保持者のクリミア訪問はロシアの併合を認める恐れがあるので自粛を要請していました。'15年3月10〜11日、クリミアを訪問した鳩山由紀夫元首相は政府の立場について十分認識したうえで、「独自民間外交」を行ったのだと思います。同年3月13日、モスクワで鳩山氏は記者会見を行い、〈ウクライナ憲法も忠実に守りながら、国際法を違反することなく、住民投票がなされたことも、様々な方々の意見を伺いながら、事実として知った次第でございます。このようななかで日ロの関係が、たとえば領土問題を含めて、いまだに解決がされていない状況のなかで、果たして日本がロシアに制裁をこれからも続ける意味というものがあるのかどうか、大変、私は疑わしく思っています。〉（'15年3月13日「ロシアの声」日本語版ウェブサイト）と述べました。要するにロシアのクリミア併合を認めるので、北方領土返還に協力してほしいという取引外交を鳩山氏は考えていたのだと思います。しかし、鳩山氏が首相官邸にもマスメディアにも真意をきちんと伝えていなかったので、この「独自民間外交」は、空回りするだけでした。

参考文献

新・戦争論
僕らのインテリジェンスの磨き方
池上彰／佐藤優
文春新書

集団的自衛権にイスラム国の問題、ウクライナ問題、スコットランド独立騒動、エボラ出血熱、金融危機……その背景とサバイバル術を語りおこした一冊。'14年刊

第008回

国連を通じて日本がロシア問題でできることとは？

相談者●ゆず七味（ペンネーム）会社員 年齢不詳 男性

日本は'23年から2年間、国連安全保障理事会（安保理）の非常任理事国を務めます。日本が非常任理事国となるのは12回目で、国連加盟国のなかで最も多く、1月は1か月ごとに交代する議長国にもなっていました。この安保理において、ロシアのウクライナ侵略などをめぐって、機能不全に陥っているとの批判が高まるなか、日本が果たすべき役割はなんでしょうか？

停戦し、死者をなくすことが日本の責務です

重要なのはロシアの内在的論理を摑んで、それに噛み合う政策を構築することです。ロシアでは常に国家元首（現在はプーチン大統領）の意向が戦争や外交政策において決定的な重要性を持ちます。このことを故・安倍晋三氏はよくわかっていました。

〈プーチンは80年代、諜報機関の国家保安委員会（ＫＧＢ）の一員として、東ドイツのドレスデンでケースオフィサー（工作担当官）として活動していました。そして89年にベルリンの壁が崩れ、91年にソ連が崩壊し、大きな挫折を経験した。（中略）ウクライナ共和国の独立も、彼にとっては許せない事柄でした。ソ連は、資源の豊富なウクライナに莫大な投資をしていたし、ロシアになってからも、資源開発を支援していたからです。そうした経験があるから、国際法上決して許されることではありませんが、２０１４年にウクライナを侵攻してクリミア半島を併合したのだと思います。世界史では、クリミア半島は、ロシア帝国がオスマン帝国を破って手に入れた土地です。プーチンにとっては、ひとりよがりの考え方ですが、クリミア併合は、強いロシアの復権の象徴というわけです。〉（『安倍晋三回顧録』１８５頁）

もっとも米国を中心とする西側諸国がウクライナを軍事支援しても、ロシアを打ち負かすことはできません。西側諸国が直接交戦するような事態になると核戦争を引き起こしかねないと認識しています。したがって、十分な量と質の兵器を供給することはありません。米国によって「管理された戦争」でウクライナが失地を完全に回復し、勝利することは不可能です。西側連合の目的は、ウクライナを用いてロシアを弱体化させることです。西側連合が武器供与を続けると、戦闘で亡くなるウクライナの非戦闘員と、ロシアとウクライナの戦闘員が増えるだけです。

一刻も早く停戦し、死者をなくすようにすることが日本の責務と思います。

停戦との関連で重要なのが'23年1月11日に池田大作創価学会名誉会長が発表した「ウクライナ危機と核問題に関する緊急提言」です。創価学会は連立与党・公明党の支持母体です。池田氏の提言は現実の政治に影響を与えます。この提言で重要なのは、「ロシアによる侵略という認識を表明していないことです。停戦を現実的に考えるならば、「お前たちは侵略国だ」と非難されている状況でロシアが交渉の席に着く可能性はありません。池田氏は具体的に以下の提案を行っています。

〈国連が今一度、仲介する形で、ロシアとウクライナをはじめ主要な関係国による外務大臣会合を早急に開催し、停戦の合意を図ることを強く呼びかけたい。その上で、関係国を交えた首脳会合を行い、平和の回復に向けた本格的な協議を進めるべきではないでしょうか。〉('23年1月11日『聖教新聞』電子版)

いずれ国際社会は池田氏の緊急提言の方向に動くと思います。

参考文献

安倍晋三回顧録
安倍晋三
橋本五郎 尾山宏〈聞き手・構成〉
北村滋〈監修〉
中央公論新社

第1次政権崩壊後のこと、米中ロとの駆け引き、反対勢力との暗闘、各国要人との秘話などについて明かした36時間の未公開インタビューを収録。'23年刊

第009回

宗教が戦争を引き起こしているのはなぜか?

相談者●さくらこ(ペンネーム) 会社員 40歳 女性

'15年1月に起こった、イスラム国による日本人人質の殺害と、周辺国との戦争報道を思い出すと、「宗教と戦争」について不思議に思います。私は、宗教は個人が安心して仲良く暮らすため、心のよりどころになるものだと考えています。しかし、宗教を信仰している人たちによって戦争が世界各地で起こっているのが、不思議でなりません。宗教では「隣人を愛せよ」「人を殺すな」とされているのに、なぜ人々は戦争をするのか? キリスト教やイスラム教といった一神教の人々は、仏教やヒンズー教といった多神教の人々に比べて、よく他国と戦争しているような印象がありますが、どうお考えになりますか?

宗教がわかりやすく語られれば軋轢は減る

まず、2つの事実を押さえておく必要があります。第1は、人間は群れをなし、常に争う動物であることです。第2に、人間は理性だけで割り切って生きていけない現実です。かつて、ソ連は唯物論と科学的無神論を国是に掲げていました。しかし、人々は何も信じていなかったのではなく、共産主義を（少なくとも建前としては）信じていたのです。

宗教は、理念のために自分の命を捧げることを高く評価します。自分の命を捨てる覚悟をした人は、他者の命を奪う際のハードルが低くなります。これに宗教団体、国家などの組織としての生存闘争が加わると悲惨な結果をもたらしかねません。日本ではイスラム教、キリスト教、ユダヤ教のような一神教には不寛容で、神道や仏教のような多神教に寛容だという俗説が大手を振っていますが、これは間違いです。オウム真理教も仏教系の新宗教です。タイやスリランカで武力衝突が起きた際、武器を持って殺人を躊躇しない仏教徒もいます。一神教にも多神教にも、偏狭で、自己絶対化の罠に落ちて、他者を殺すことを躊躇しない人もいれば、諸宗教間の対話と平和的共存を信じる人もいます。キリスト教の場合、後者の諸宗教間の対話と平和的共存を信じる人は、再びキリスト教は教派の壁にとらわれずに再一致すべきであるというエキュメニカル運動を支持しています。ドイツの社会哲学者ユルゲン・ハーバーマスはこうした現代社会と宗教の関係について次のように述べています。

〈国家と教会の分離の原則は、国家制度の内部で活動する政治家と公務員に関しては（中略）すべての市民が同じように理解できる言葉で表現し、正当化することを義務づけたのに対して、公共圏において市民や政党とその候補者、さまざまな団体組織や、教会その他の宗教共同体などが服している条件は、それほど厳格なものではない。「第一の点は、宗教的なものであれ非宗教的なものであれ、合理的で包括的な教義を公的な政治的討論の場でいつでも持ち出してよいということである。ただし、これには条件がつく。それは、それぞれの教義が何を支持していると言われているにせよ、その支持するものを十分支持しうるだけの適切な政治的理由――包括的な教義によってのみ与えられる理由ではなく――を順を追って提示するという条件である」。この但し書きが意味するのは、そのつど提示された政治的理由が、単に申し立てられるというだけではだめで、その理由がもともと帰属していた宗教的文脈から切り離されても「物を言う」ものでなければならないということである。〉(『自然主義と宗教の間　哲学論集』142頁)

少し難しい表現ですが、平たく言えば、宗教を信じている人は、他人にも理解可能な言葉で自分の宗教について語れということです。その結果、誤解に基づく軋轢はかなり減ります。

参考文献

自然主義と宗教の間
哲学論集
ユルゲン・ハーバーマス(庄司信他 訳)
法政大学出版局

民主主義の危機が叫ばれるなか、市民による公共的な論争への参加の重要性を論じ、自然主義と宗教的共同体を架橋する新たな理論を探究した一冊。'14年刊

第010回

朝鮮半島有事が勃発する前に何をすべきか？

相談者●あきらっきょ（ペンネーム）会社員 36歳 男性

今後、東アジア地域で戦争が始まるように感じています。特に北朝鮮はミサイル実験を繰り返しており、いつ韓国、日本を攻撃してもおかしくないように感じています。開戦すると、今までの生活が一変し、人生設計が大きく狂いますし、それ以前に生き残らなければなりません。そこで外務省の主任分析官を務められた佐藤さんに質問です。開戦間近の状況で「今のうちに準備しておくこと」「注視すべき事象」と「開戦したらやるべきこと」をご教授いただければ幸いです。

米国人を韓国から退避させたら開戦の兆候

'16年1月の北朝鮮による核実験と2月の弾道ミサイル発射によって、当時、米朝関係がかなり緊張しました。ただし、直ちに戦争が始まるような状態ではありませんでした。ですから、ミサイル実験を繰り返しているからと、過剰に心配する必要はありません。「今のうちに準備しておくこと」は、正確な情報収集と分析です。'16年5月に行われた朝鮮労働党第7回大会で、金正恩朝鮮労働党委員長は明確にこう述べています。

〈アメリカは、停戦協定締結後、こんにちにいたる六〇年以上にわたって南朝鮮とその周辺に膨大な侵略兵力をひきつづきひきいれ、毎年各種の北侵核戦争演習を常軌を逸しておこない、朝鮮半島と地域の情勢を激化させてきました。いま、アメリカがわれわれの自衛的な国防力の強化措置と平和的な宇宙開発にいいがかりをつけ、何らかの「脅威」を喧伝しているのは、みずからの侵略的な対朝鮮敵視政策とアジア支配戦略を合理化するための口実にすぎません。アメリカは、核強国の前列にたっているわが共和国の戦略的地位と大勢を直視し、時代錯誤的な対朝鮮敵視政策を撤回するとともに、停戦協定を平和協定にかえ、南朝鮮から侵略軍と戦争装備を撤退しなければなりません。南朝鮮当局は、アメリカに追従して同族に反対し、朝鮮半島の平和と安全をおびやかす無分別な政治的軍事的挑発と戦争演習を全面的に中止しなければなりません。〉(『金正恩著作集2』191頁)

国家体制の保全を米国から取り付けるために、北朝鮮は核兵器と米大陸に到達することができる大陸間弾道ミサイル(ICBM)の開発を行っているのです。しかし、そこに大きな誤算があります。米国を攻撃可能な兵器の開発が具体化するほど、米軍が北朝鮮を空爆し、核兵器と弾道ミサイルを破壊するか、金正恩氏を「中立化」(インテリジェンス業界の用語で殺害を意味)することになります。'15年の朝鮮半島危機の直接的原因は、当時のトランプ大統領が「恫喝外交は通用しないぞ」という姿勢を示したことにありました。

「注視すべき事象」は、韓国に在住する十数万人の米国人の動静です。米国が北朝鮮に対する武力行使を行えば、北朝鮮は韓国を攻撃する可能性が出てきます。米国社会は、戦争によって米国人が死ぬことに対する忌避反応がとても強いです。それですから、朝鮮半島で戦争が始まる状況になれば、米国人を韓国から退避させます。10万人以上を退避させるためには、最低、1週間はかかるので、この状況は一般のマスコミを通じても察知することができます。米国人が韓国から逃げ出したら、戦争が近いと考えていいでしょう。

「開戦したらやること」については、日本政府が具体的な要請を国民に対して行いますので、それに従うことです。

冒頭でも申し上げたとおり、朝鮮半島で直ちに戦争が始まるような状態ではありません。過剰な心配をする必要はありません。淡々といつもと同じように生活することをお勧めします。

参考文献

金正恩
Kim Jong Un
著作集
2
白峰社

金正恩 著作集2
金正恩（編・チュチェ思想国際研究所）
白峰社

'14年2月から'16年12月までに発表された著作、金正恩時代の幕開けを宣言した朝鮮労働党第7回大会の報告も掲載。金日成・金正日主義を学べる一冊。'17年刊

第011回

かつての日本による韓国併合は正しかったのか?

相談者● mochi-mochi(ペンネーム) 会社員 29歳 男性

1910年の韓国併合について質問があります。保守派の中には、「朝鮮の近代化を進めたことに誇りを持つべきだ」という人たちがいます。確かに、当時の朝鮮は近代化を推し進めなければならない状況にあったようです。しかしそうであったとしても、日本が行ったことは国家主権の侵害にあたるのでは?と私は思います(当時の朝鮮に国家主権が法的にあったのかは私にはわかりませんが)。佐藤さんは'19年に香港で反政府デモが起きた際、「香港のデモに日本人が参加することは中国の国家主権を侵害すること」とおっしゃっていました。韓国併合については国家主権の侵害になると思われますか?

旧宗主国の責任を日本は自覚するべきです

日韓併合は、軍事占領による植民地化とは異なります。当時の日本政府が大韓帝国(李氏朝鮮)政府と協議して、条約を結んで韓国は日本に併合されることになりました。当時、韓国はロシアと日本という2つの帝国主義国の脅威に晒されていました。韓国政府内にも日本に併合されたほうが韓国のためになると考える人たちと、ロシアと提携して日本に対抗すべきと考える人たちがいました。いずれの人たちも当時の状況の中で韓国の生き残りを必死で考えていました。しかし、現在の韓国では日韓併合を進めた人に極めて否定的な評価がなされています。日韓併合は当時の国際法の基準では合法でした。しかし、歴史的に見ると植民地支配は、民族の自己決定権に反する否定的な事柄です。したがって、当時は合法で、日本が朝鮮半島のインフラを整えたという事実があったとしても（その主たる目的は、宗主国である日本の国力を植民地・朝鮮の経済力をつけることによって強化することでした）、胸を張って「我々は正しかった」と言えるようなことではないと思います。

植民地支配によって日本は韓国人から恨まれています。国力をつけた韓国は従来確立していた日本とのルールを変更しようとしています。この傾向が文在寅（ムンジェイン）政権下で加速しました。

〈最高裁判所内に設置された「司法行政権の乱用疑惑に対する特別調査団」は、朴槿恵（パククネ）政権と当時の最高裁判所が、徴用工判決をめぐって「司法取引」したという疑惑を提起した。徴用工裁判で朴槿恵政権と判決について相談するなど、政権に都合のいいように便宜を図ったという疑いだ。この疑惑は、当時の最高裁判所長官だった梁承泰（ヤンスンテ）氏をはじめ、多くの裁判官たちが拘束されるという司法積弊清算作業につながった。そして、文在寅政権が任命した金命洙（キムミョンス）新最高裁長官の下、日本企業に徴用工への賠償を命じる判決が下された。２０１８年10月、新日本製鉄（現新日鉄住金）に対して、4人の原告に1億ウォンずつの支払いを命じる判決が出されたのだ。（中略）この判決は、日本にとっては、これまで両国政府間で解決済みとされてきた1965年の日韓基本条約が、根底から覆されたに等しかった。以後、日韓関係は悪化の一途を辿り、2019年夏には、貿易を巡って日韓の制裁合戦にまで発展した。〉（金敬哲『韓国 行き過ぎた資本主義』208頁）

日韓併合条約で、日本が韓国の主権を侵害したという韓国の主張に付き合う必要はないと思います。なぜならそれは当時、すなわち帝国主義時代の国際法では合法だったからです。しかし、それで日本が植民地支配で韓国に与えた苦難を免罪されるわけではありません。植民地を持っていた宗主国としての責任を日本はもっと自覚すべきです。そして、日本国家としての自発的意思で過去の植民地支配を克服する努力をすることが必要と思います。

参考文献

韓国 行き過ぎた資本主義 「無限競争社会」の苦悩
金敬哲
講談社現代新書 2549

韓国 行き過ぎた資本主義——「無限競争社会」の苦悩
金敬哲
講談社現代新書

過酷な受験戦争に、厳しさを増す若者の就職事情、経済事情で幸福指数はOECD加盟国中最下位クラス。超格差社会の韓国の現状を徹底ルポした一冊。'19年刊

第012回

中国が台湾併合を強行したら沖縄はどうなるか？

相談者●ひろぴ（ペンネーム）無職 57歳 男性

中国は台湾の武力解放を行うのでしょうか？ その際、沖縄本島以西の安全が気がかりです。明治政府の宮古・八重山を中国へ引き渡すとした交渉から、現在の在日駐留米軍基地の問題など日本政府の対応は沖縄に犠牲を強いています。中国が台湾併合に際し、戦略上、宮古、八重山に侵攻、一帯を封鎖すれば、一義的に自衛隊は対応を行うものの、米軍出動前に軍事的衝突となり、そのまま見捨てられるのではという危惧です。このような事態は絵空事でしょうか。

台湾併合前に沖縄で独立機運が高まる

中国が台湾を併合する機会を虎視眈々と狙っていることは間違いありません。さらに面倒なことは、米国にトランプ政権が誕生して以降、米中対立に「人種主義」の要素が加わったことです。米中の事情に通暁している元外交官の宮家邦彦氏はこう述べています。

〈アメリカ国内でも、人種偏見はしばしば問題になりますからね。トランプの側近スタッフだったアフリカ系の女性が暴露本を書いて、トランプを人種差別主義者だと告発し、話題になったこともありました。ただ、その程度でめげるようなトランプではありませんが。

いずれにせよ、差別意識があることは間違いない。おそらく中国もそれをわかったうえで、チャレンジしているんです。彼らは一八四〇年のアヘン戦争以来、まさに白人によって蹂躙されてきました。その末裔であり、いまでも唯一中国の影響圏のなかにいるのが米軍なのです。それを排除したいと考えるのは当然でしょう。その意味では、いずれもレイシスト的だといえる。

ただし、アメリカは西太平洋を支配しているのは自分たちだと自負しています。それに対してチャレンジするなら、よほどうまくやらないといけない。ところが中国のやり方は、およそうまいとは言い難い。もともと大陸国家、陸軍国家だから、勝手に線を引いて海域を奪う、島を奪うという発想を繰り返してきた。だから両者は太平洋上でぶつかるわけです。〉（『世界史の大逆転』66～67頁）。

もっとも、中国の指導部は現実主義なので、現時点で中国軍が米軍と武力衝突を起こしても、大敗し、壊滅してしまうことをよくわかっています。したがって、台湾の武力統一のような冒険はしないと思います。もっとも数十年後、中国の国力が大幅に増強され、米国が衰退し、米中が拮抗するような事態が訪れれば、中国が武力を背景に台湾の併合を試みる可能性はあります。

米国が孤立主義政策に転換し、台湾に関与しなくなった場合、日本にとっては深刻な事態が生じます。台湾には標高3952mの玉山（日本の植民地時代はニイタカヤマ）をはじめ、高い山があります。したがって、台湾全土を占領するためには中国大陸側からでなく、反対側の与那国島（沖縄県）の側からも攻撃する必要があります。中国が軍事上の理由から与那国島の領海内に侵入する、場合によっては与那国島を占領する可能性もあります。そうなると日中戦争になります。もっとも、それは沖縄県が日本の一部に留まっていることを前提にします。このような事態が生じる前に尖閣諸島をめぐり、日中間の軍事的緊張がかなり強まります。沖縄では「日本の都合で戦争に巻き込まれるのは迷惑だ」という機運が高まり、日本からの分離独立運動が起きる可能性があります。中国が台湾を併合しようとする場合、日本から見捨てられるような事態に陥る前に、沖縄が日本から逃げ出すと思います。

参考文献

世界史の大逆転
国際情勢のルールが変わった
佐藤 優　宮家邦彦
角川新書

世界史の大逆転――国際情勢のルールが変わった
佐藤優／宮家邦彦
角川新書

事実上、北朝鮮の核保有を認めた米国、脱石油とAI社会の進展……。世界の常識が変貌するなかで、新時代の〝航海図〟を2人の碩学が描く。'19年刊

第013回

中国による国家安全法で自由な香港は終わったのか？

相談者● 1／2（ペンネーム） 会社員 33歳 女性

'20年7月1日に香港で国家安全法が施行されましたが、なぜ中国は香港の自治や言論の自由を奪う法律を強引につくったのでしょうか？　私には2分の1だけ香港の血が流れています。香港に住む友人がSNSをやめたり、「もう香港に住めない」と言い出したりしていて非常に心配です。'19年の香港民主化デモに参加していた友人も写真を削除しました。そこまで香港が危なくなっているのに、日本にいる私はコロナの影響で香港に行くこともできないし、何の手助けもできません。これから香港はどうなってしまうのでしょうか？

権力者が強権的支配を過小評価すると危険

'20年当時の中国は、新型コロナウイルス感染症を都市封鎖などの強権的な手法で押さえ込むことに成功したと自信を持っていました。一方で、欧米諸国はパニック状態だったので、中国に人権問題で干渉する余裕がありませんでした。

　中国は武漢での成功体験から、香港の「一国二制度」を中国が思う方向へ変えることに着手しました。経済に関しては、香港では資本主義システムが維持されるので社会主義経済を建前とする中国とは異なります。中国もこの構造に手をつけることは考えていません。それに対して政治では、中国共産党による一党独裁体制を香港でも徹底するということです。香港に国安法が施行されたことで、中国と米国、英国との関係は急速に悪化しました。しかし、ドイツ、フランス、日本などとの関係は大きく変化しませんでした。中国が香港の経済に介入する姿勢を示さなかったので、外国の経済的利益に与える影響が少ないと考えたからです。

　中国が経済における香港の「一国二制度」を変更することは考えられません。なぜなら中国共産党や人民解放軍の幹部の銀行口座が香港に置かれているからです。さらに共産党・軍高官の親族が香港で会社を経営している例もあります。共産党・軍幹部の子供たちは欧米に留学します。幹部の給与だけではその莫大な留学費用を賄うことができません。「一国二制度」を利用して共産党・軍幹部が香港に「秘密の財布」を持っていることは公然の秘密です。これをなくすような政策を中国が採ることは考えられません。中長期的に危険なのは、中国の権力者が、強権的支配の力を過小評価することです。この点について中国事情に通暁した福島香織氏の見解が興味深いです。

〈中国のような専制体制はトップダウンの果断な対応ができ、感染封じ込めも比較的早く、経済も感染が収束すればV字回復だという楽観論を言う人は日本の財界にも少なくないのですが、今の習近平体制の特徴として、中央トップの指示が現場の状況を正しく把握しないまま、目標値とノルマと責任だけを押し付け、地方の官僚たちのやる気を削いだり、反感を招いたりする現象が増えているのです。／習近平のトップダウン方式は、むしろ現場の状況をフィードバックできない誤った指示や指示の遅れにより、状況の悪化を招く悪循環に陥っています。／そうだとすると、新型コロナウイルス感染終息後に私たちが見るものは、経済回復どころか、共産党政権を支える官僚システム、政治システムの瓦解、体制の崩壊ではないか、という懸念すら芽生えてくるわけです。〉(『新型コロナ、香港、台湾、世界は習近平を許さない』330頁)

AIでも官僚主義の壁を崩すことはできないと思います。官僚主義が崩れると中国の共産党一党支配が難しくなります。官僚主義による不合理、非効率性が中国の発展にとって隘路になっています。

参考文献

新型コロナ、香港、台湾、世界は習近平を許さない
福島香織
ワニブックス

'19年の香港・反送中デモ、'20年の新型コロナ騒動が共産党一党支配に与えた影響とは? 中国ウォッチャーとして知られる著者が最新の中国事情を一冊に。'20年刊

第014回

北方領土の返還は日本の国益に適うのか？

相談者●キング（ペンネーム）不動産業 50歳 男性

５年前から札幌に住んでおります。さて北方領土の件です。歴史的観点はもとより、先祖よりご縁のある人々の心情を思料すると返還されるべきと思っていましたが、人口減少の今後、立地条件・維持管理の観点を踏まえ、果たして北方四島返還が国益に結びつくのでしょうか？

四島一括返還は日本政府が作った神話です

そもそも国益を経済合理性の観点からのみで考えるのは間違っています。もしそのような発想をするならば、中央政府からの財政的支援なくして成り立たない過疎地域は、整理してしまったほうがいいということになります。北方領土返還が、日本の国益に適うのは、あの戦争で、日本はソ連との関係において侵略された側であったという歴史認識があるからです。歴史的な正義を回復するのが、北方領土返還の基本的動因です。

'22年2月以降のウクライナ危機を経て状況は変わりましたが、現実的な外交交渉を行えば、北方領土の返還は実現できます。この点で、北方領土問題に通暁した鈴木宗男参議院議員（日本維新の会）の見解がとても参考になります。

〈本気でこの問題を前に進めようとするならば、2島返還、正確に言えば「2島返還プラスα」しかない。外交には「100対0」の勝利はない。国の尊厳と名誉がかかっている交渉で、どう折り合いをつけていくか。それが政治家の腕の見せ所だ。（中略）

私がこの問題について、どうしてもやらなければならないと思う理由は、かつて北方4島で暮らしていた島民たちの気持ちがあるからである。

自分の生まれ育った島から追い出された人々も、その平均年齢は83歳になっている。当然ながら、残された時間は短く、いつまでも時間をかけることはできない。

まだ、先祖の墓が島に残っている元島民もたくさんいる。まず、島には自由に往来できるようにすること。そして2島でも返還してもらうこと。また国後島周辺の海を使わせてもらうこと。それを喫緊の課題として実現させなければならない。〉（『人生の地獄の乗り越え方――ムネオを救った30の言葉』90頁）

北方領土というと、大多数の国民が歯舞群島、色丹島、国後島、択捉島の4島を考えます。これは東西冷戦期に日本政府が作った神話です。日本政府が「四島一括返還」と言い始めたのは、戦後から30年を経た'75年のことです。当時は、共産主義国であるソ連と接近しないことが日本の国益に適うと政府が考えていたので、ソ連が絶対に応じない四島一括返還という要求を掲げたのです。

実は、'51年に締結サンフランシスコ講和条約で、日本は国後島、択捉島を含む千島列島を放棄しています。この事実を基礎にすれば、北方領土問題の解決は難しくありませんでした。'18年11月14日にシンガポールで当時の安倍晋三首相とロシアのプーチン大統領が「'56年の日ソ共同宣言を基礎に平和条約交渉を加速する」ことに合意しました。日ソ共同宣言では、平和条約締結後にソ連が日本に歯舞群島と色丹島を引き渡すことが約束されています。'91年にソ連は崩壊しましたが、ロシアは継承国なのでソ連が締結した条約の義務を履行しなくてはなりません。

ウクライナ危機が終息した後、歯舞群島と色丹島の2島に対する日本の主権を確認する交渉をできるだけ早く進める必要があると考えています。

参考文献

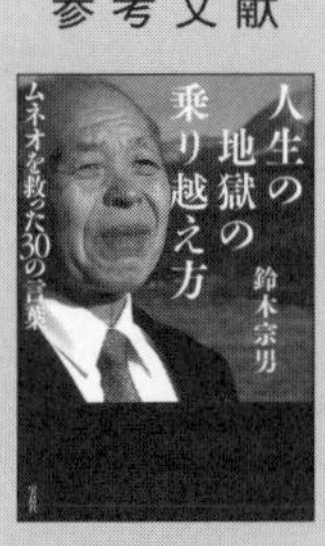

人生の地獄の乗り越え方——ムネオを救った30の言葉
鈴木宗男
宝島社

'02年にあっせん収賄などの容疑で逮捕・起訴され、懲役2年の実刑判決を受けた鈴木宗男氏。がんと闘い、国政に返り咲いた鈴木氏を支えた言葉とは？ '20年刊

第015回

テロで深まったイスラム教徒への誤解を解きたい

相談者●パリより(ペンネーム) 輸入卸 35歳 女性

'15年11月、出張でパリにいた私は同時多発テロを目の当たりにしました。パリ左岸(東から西に流れるセーヌ川の南側。テロが起きたのは北側の右岸)に宿を取っていたので巻き込まれることはなかったのですが、イスラム系の人たちに対するチェックは特に厳しくなりました。彼女たちは「しょうがない」と受け入れていましたが、外出しにくくなってしまった?と聞くと「だからこそ、いつもどおりの生活をして、我々はイスラム国とは違う、彼らを絶対許さないというメッセージを発信しているんだ」と言っていました。テロ以降、彼女たちイスラム系の人たちに対する偏見や誤解が強まったことを残念に思います。

何事もなかったがごとく生活することが重要

あなたの姿勢はとても立派です。イスラム教徒の友人が「いつもどおりの生活をして、我々はイスラム国とは違う、彼らを絶対許さないというメッセージを発信しているんだ」と述べていますが、こういうときは「何事もなかったがごとく」生活することが重要です。'15年11月13日金曜日の夜、パリで発生した同時多発テロ事件では、1時間のうちに7か所でテロ攻撃がなされ、130人の死亡が確認されました。こういう事件が起きたにもかかわらず、「何事もなかったがごとく」生活するにはたいへんな勇気がいります。あなたのような行動が、真の平和と和解をもたらすために重要なのです。

フランスのオランド大統領（当時）は同年11月14日、国民向けにテレビ演説をし、〈「恥知らずな攻撃を受けたフランスは『イスラム国』の蛮行と無慈悲な戦いを決行する。テロの脅威に同様にさらされている同盟国とともに、国内であれ国外であれ、あらゆる手段を駆使して戦う」と報復に言及〉（'15年11月14日「共同通信」）しました。

オランド大統領が述べる「あらゆる手段」で、まず取られたのが米国だけでなく、ロシアとの対テロ軍事協力でした。フランスはシリアのイスラム国（IS）支配地域に対する空爆を強化しました。しかし、ISの拠点を全面的に破壊しても問題を解決することはできません。オランド大統領は、怒りで原因と結果を取り違えてしまいました。ISが国際社会の秩序を混乱させている原因であるという見方は間違いです。サイクス・ピコ秘密協定（1916年）に基づいて、欧米の都合で中東の宗教、歴史、地理、部族の分布などと無関係に国境が引かれ、建設された国家が機能不全を起こしていることが原因で、その結果、ISが生まれたのです。中東に安定した新秩序が形成されない限り、ISを除去しても、別の名称の団体が、似たようなテロ活動を起こすことになります。率直に言って、この地に安定した新秩序が近未来に形成される可能性は低いと思います。したがって、アッラー（神）によって制定されたシャリーア（イスラム法）によって全世界を単一のカリフ帝国（イスラム帝国）の下、暴力やテロに訴えてでも支配しようとする運動は今後も続きます。

当面は、空爆でＩＳの拠点を破壊するとともに、ＩＳの要求を一切受け入れず、テロに関与した者については法規を厳格に適用して責任を取らせるという対応を続ける対症療法しか打つ手がありません。テロを続けても目的が達成できないと判断すれば、ＩＳは戦術を変えます。だからこそ、テロの流行は一旦終焉したのです。しかし、根本原因である中東の混乱が解決されていないので、我々が現時点では想定していないような面倒な問題が今後もテロに変わって起きることになります。あなたには今と同じ行動を取り続けることをお勧めします。そうすれば、徐々にあなたに共感する人が増えてきます。

参考文献

日本でテロが起きる日
佐藤優の「地政学リスク講座2016」――
佐藤優
宝島社

イスラム国の無差別攻撃の標的の一つは日本だ――。ニュースの裏側にある歴史、宗教、文化のベールをはいで現実に存在する危険性を解き明かした一冊。'15年刊

第016回

ISを抑え込めるイスラム指導者はいないのか？

相談者●のぶ（ペンネーム）自営業 44歳 男性

ISはSNSなど巧みな仕掛けで温厚な若者を過激な思想に染め、不満を持った若者を兵士にしていく、寄付も含めいかなる方法でもお金を集める、世界規模の怖い存在です。中東から欧州、アジアへも広がっていますが、その恐怖と混乱を抑えていく方法がないのかと考えています。イスラムの宗教指導者の立場から過激な思想はイスラム教から逸脱すること、キリスト教、仏教など様々な宗教がある世界において、共存することが人々に平穏をもたらすと発表、指導してくれないでしょうか？　それぞれの宗教の教えを伝え、世界的に広がる格差の是正に取り組む、そんな指導者が心の底から出てきてほしいと思います。

軍事的手段を抜きにISは解体できない

ISが極めて危険な存在であるという認識を私も持っています。中東専門家の山内昌之東京大学名誉教授は、ISの特徴について、こう指摘します。

〈これまでのイスラーム過激派は、アルカーイダも含めて、サウディアラビアやエジプトといった中東心臓部での活動を断念し、中央政府の監視の緩やかな中東周縁部や、言論や集会の自由を尊重する欧米社会に出かけてテロを実行するのが常だった。／ところがISは、「イスラーム国」を名乗ることからもわかるように、自分たちの支配領域を確立し、まとまった地域を支配して疑似国家を形成している。そして、税の徴収、石油の密輸出、そして「人質ビジネス」や女性奴隷の売買という新しい〝産業〟まで生み出した。（中略）徴税だけでなく道路交通網を押えて物流を保障し、サイバー空間で情報の操作もしている。真偽取り混ぜて報道する強力な電波施設をもち、インターネットを通じて世界中に処刑や戦闘の光景を発信している。サイバー空間という二十一世紀に出現した新領域を利用する構図の中でISがつくられたのである。〉（『中東複合危機から第三次世界大戦へ』182頁）

穏健で良識のあるイスラム指導者が何を言っても、ISは耳を傾けないと思います。力と知恵でISを無害化することが重要です。まず、ISに対して経済的支援を行っているサウジアラビア、カタール、トルコなど一部勢力の動きを国際的な圧力によって中止させることが重要です。ISは今後も世界各地でテロを起こすでしょうが、脅しに屈せず、テロリストの要求を一切受け入れないことが重要です。それとともにテロに関与したすべての者を無害化します。テロリストは、精神に変調を来した集団ではありません。唯一神のアッラーが制定したシャリーア（イスラム法）によって統治される単一のカリフ帝国（イスラム帝国）

を樹立することをＩＳは謳っていますが、その目的を実現するために暴力やテロに訴えることを躊躇しません。裏返せば、いくら暴力やテロに訴えても、国際社会が要求を無視するならば、ＩＳの影響力は弱まっていきます。それと同時に空爆を徹底的に行って、軍事拠点と経済拠点を壊滅させることも重要です。米軍の作戦によって'22年2月にＩＳの指導者が死亡しましたが、こうした軍事的手段を抜きにしてＩＳを解体することはできません。

ＩＳはイスラム教スンナ派の系統に属します。それですから、穏健なイスラム教スンナ派の宗教指導者がメッセージを発すれば、それにＩＳが反応する可能性もあります。しかし、そのことによって、存在する権利があると認められたという誤解を抱かせてはいけません。国際社会は、平和裏に生活する人々を平気で殺害するようなＩＳと共存することはできません。それですから、イスラム教の穏健派宗教指導者によりＩＳを懐柔するという方策も採るべきでないと思います。ＩＳには、徹底した強硬策で対処すべきです。

参考文献

中東複合危機から第三次世界大戦へ――イスラームの悲劇
山内昌之
ＰＨＰ新書

今なお各地で頻発するISによるテロの影響でトルコとロシアの対立が深刻化し、イランとサウジは断交。そんな錯綜した世界情勢をひも解いた一冊。'16年刊

第017回

'17年のトランプによるエルサレム首都認定の影響は？

相談者●やっかみ男（ペンネーム）会社員 55歳 男性

'17年12月、イスラエルの首都はエルサレムだとトランプ米大統領が唐突に与えたお墨付き、本人はとりあえず公約のとおりにしただけでしたが、中東各国にとっては死活問題であったと考えています。キリスト教、イスラム教、ユダヤ教の三大宗教が揃って聖地としているエルサレムです。いろいろと絶え間なく争いが続いています。その後、大きな紛争は起きていませんが、禍根を残しています。日本は石油の輸入で中東に頼っています。それができなくなったらとも考えてしまいます。当時のトランプ氏の外交の手腕は剛腕なのか、強引だったのか私には不明です。ただ今後、日本が巻き込まれないか不安です。

北朝鮮による核の脅威が高まり続けている

ご指摘どおり、米国がエルサレムを首都に認める行為は中東情勢に深刻な影響を与えました。

当時のトランプ発言よりも前に上梓された本で、この移転問題について、私は中東情勢に詳しい山内昌之先生（東京大学名誉教授）とこんなやりとりをしています。

〈**佐藤**　もう一つは、イスラエルが本音をどうアメリカに伝えるかです。アメリカの大使館移転は、イスラエルが本当に望んでいることなのかどうか。

山内　その通りです。イスラエルとしては、ありがた迷惑だという説も成り立つわけです。

佐藤　やり方がいくつかありますね。これはパレスチナ側の対応次第ですが、現在考えられるシナリオは四つあります。一つは今のまま大使館をまったく動かさない。これだったら何も起きないですよね。二つ目はアメリカ議会ですでに法律が通っているわけですから、法的には既に移転してしまっていると声明を出す。実際には変わっていないけれども法的には既に移転している、現在は中途半端な状態になっているとのメッセージを出す。そして三つ目は、本当に移転してしまう。四つ目は、大使公邸だけエルサレムに持っていく。今言ったシナリオの二つ目、三つ目、四つ目の場合、いずれにしても何らかの問題が起きると思います。

山内　起きるでしょう。その中でも一番強烈な三つ目の選択肢つまり大使館移転の場合には、第五次中東戦争の可能性も否定できません。これは確かにイスラエルにとってもありがた迷惑でしょう。表向きは言えないけれども、イスラエルの中で実際にそういう話はあるのです。〉（『悪の指導者論（リーダー）』53～54頁）

その後、'18年5月に米国が実際にエルサレムへの大使館移転を強行しましたが、中東の混乱は限定的でした。日本はパレスチナ問題にそれほど深く関与していないので、外交的に日本が直接受ける打撃はありませんでした。
むしろ懸念されたのは、間接的影響でした。日本との関係では、北朝鮮情勢に大きな影響が出ると私は見ていました。なぜなら、当時も今も米国には中東と朝鮮半島の二正面で武力行使を行う力がないからです。中東情勢が悪化すればするほど、米国は北朝鮮に対して宥和的姿勢を取らざるを得なくなります。米国が北の核保有を黙認し、金正恩体制の保全を保障する可能性が出てきます。そうなると日本を取り巻く安全保障環境が大きく変化します。特に北朝鮮が核兵器の小型化に成功して、中距離弾道ミサイルに核弾頭を装填できるようになると、日本全域が北朝鮮の核の脅威にさらされることになります。中東に忙殺される米国には、日本に配慮する余裕がなくなる可能性がありました。結果から見れば、私の予測は外れました。アラブ諸国におけるイスラエルに対する反感が弱っていることを、私を含め国際政治の専門家が正確に理解していなかったからです。

参考文献

悪の指導者（リーダー）論
山内昌之／佐藤優
小学館新書

アメリカ、ロシア、中国、北朝鮮と独裁的な力を有する指導者が増えているのはなぜか？　外交問題に精通する2人の〝知の巨人〟による対談を一冊に。'17年刊

第018回

アメリカが行った対中経済制裁は正しかった?

相談者●コロ介(ペンネーム) 製造業 46歳 男性

トランプ政権下で起きた、アメリカと中国の貿易戦争について疑問があります。莫大な貿易赤字を垂れ流しているアメリカからすれば、中国からの輸入に対して高い関税をかけるのは当然のことのように感じました。中国だけは儲かってしまうので。しかし、WTO(世界貿易機関)はアメリカの関税引き上げが違法だと判断しました。それ以前に中国は国連やWTO、WHO(世界保健機関)でも「発展途上国」という立場で優遇されているようです。当時のトランプ大統領の政策は間違っていないように感じるのですが、佐藤さんはどのようにお考えでしょうか?

地球規模の自由貿易が時代遅れになりました

私もあなたと同じ考えをしています。当初、米国や日本は、中国をWTOに加盟させることにより、国際社会で確立しているルールに沿って経済活動をすることを想定していました。

しかし、中国は既存の国際法やルールが、中国の力がまだ弱かったときに欧米諸国や日本によって押しつけられたものと考え、自国に有利なルールを一方的に設けても構わないと考えるようになりました。まさに「チャイナ・ファースト」の路線です。

それでも当初、中国の経済力はそれほど強くなかったので、途上国の立場を利用した中国によるルール破りを国際社会は黙認していました。しかし、中国がGDPで世界第2位の大国になったために、国際社会で「中国のやり方はおかしいのではないか」という声が高まりました。当時のトランプ米大統領による「アメリカ・ファースト」政策は、中国の台頭への反発と見ることができます。米国は一部の中国製品に関税をかけ、中国も対抗措置をとって米国製品の輸入を止めたり、一部の製品に関税をかけたりしています。

しかし、米国が経済的に中国を封じ込めることは不可能です。すでに米国経済は中国と深く結びついているからです。この点については、ITと国際関係の双方に詳しい塩野誠氏の見解が参考になります。

〈米国による中国企業ファーウェイに対する制裁を見て、日本の経済界から「日米半導体摩擦や東芝ココム事件を思い出した」や「米国は海外企業が一定規模を越えると、必ず政治的に叩きに来る」などの声が上がった。／日米貿易摩擦は日米が同盟国であったため経済問題にフォーカスできたが、ファーウェイ問題は経済と安全保障の両方に関わっている。ただし、産業界に目を向ければ、米国と中国のサプライチェーンはすでに切り離すことが難しいほどに相互依存している。米国アップル社のｉＰｈｏｎｅ６の部品サプライヤーは中国が３４９社ともっとも多く、次に日本が１３９社、（中略）経済と安全保障が近づくほど、産業界はその影響を無視できず、実務的にも「結局は政治しだい」という状況が生まれ得る。〉（『デジタルテクノロジーと国際政治の力学』25頁）

ＷＴＯによる地球規模での自由貿易が時代遅れになったと考えたほうがいいと思います。ＥＵ（欧州連合）はドイツを中心とした、ユーラシア連合はロシアを中心とした、ＴＰＰ（環太平洋パートナーシップ協定）は日本とオーストラリアを中心とした関税同盟と考えたほうがいいです。もっとも関税同盟といっても、モノとカネの移動が自由になっている現在の国際経済において、１９３０年代のようなブロック経済圏を確立することは不可能です。このような状況で、中国と米国も、アクセルとブレーキを適宜踏み分けながら、喧嘩もしながら仲良くするという状態が続くと思います。米中関係を固定的に見ないことが重要です。

参考文献

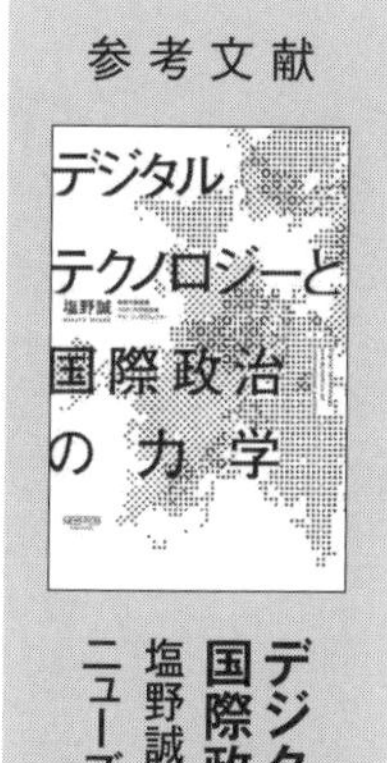

デジタルテクノロジーと国際政治の力学
塩野誠
ニューズピックス

各国のデジタルテクノロジーと政府の動向について調査する著者が明かすITと国家と経済の関係。GAFA vs 国家の対立はどちらに軍配が上がるのか？ '20年刊

第019回

日本が核禁条約を批准しないのが歯がゆいです

相談者●ひろぴ（ペンネーム）無職 59歳 男性

'21年1月に核兵器禁止条約がホンジュラスの批准により発効したことは喜ばしいです。日本は被爆国として国民に核アレルギーがあると言われ、戦略核、戦術核（米軍は北朝鮮攻略に80発の核使用の報道）の違いもわからないまま米国の核の傘に守られているので批准しませんでした。しかし、沖縄においてはPAC-3MSEを知念、那覇空港、恩納の自衛隊基地、嘉手納（米軍）に配備し、将来設置される可能性のある米軍の中短距離ミサイル（戦術核搭載可能）基地防衛も進めていると取れます。理想と現実の狭間で地政学からみて仕方がないと沖縄は指をくわえているしかないのでしょうか、歯がゆいです。

軍拡から軍縮へと必ず時代は転換点を迎える

核兵器禁止条約（核禁条約）が'21年1月から発効してよかったと思います。日本は唯一の被爆国です。にもかかわらず、核兵器を地上から廃止するという高邁な理想を謳ったこの条約に対する日本の姿勢は消極的です。

〈来年（'21年）1月の発効が決まった核兵器禁止条約について、加藤勝信官房長官は（10月）26日午前の記者会見で「我が国のアプローチとは異なる。署名は行わない考え方は変わりない」と述べた。日本政府は安全保障政策を米国の「核の傘」に頼っており、条約を批准していないが、こうした方針を維持する考えを示した。／加藤氏は「条約が目指す核廃絶というゴールは我が国も共有している」とする一方、「抑止力の維持・強化を含めて現在の安全保障上の脅威に適切に対処しながら、地道に現実的に核軍縮を前進させる道筋を追求していくことが適切だ」と強調した。〉（'20年10月26日「朝日新聞デジタル」）

当時の加藤官房長官の立場は、元外交官だった筆者にはよくわかります。現実の国際政治は核抑止によって成り立っています。ロシア、中国、北朝鮮は核兵器を保有しています。これら諸国の核軍縮を併せて行わず、核禁条約を日本だけが批准すれば、安全保障環境を悪化させることになります。短期的にこのような立場を政府が取るのはやむを得ないと思います。しかし、時代は必ず転換点を迎えます。この点について、米国の国務長官を務めたウィリアム・ペリー氏の見解が興味深いです。

〈一見、何も変わりそうにないようにも見える、核兵器をめぐる巨大で強固な政策・権力構造だが、政府・軍内部にひそむ破滅リスクや人道上の問題への懸念などがバネになって、ある日突然のように大きな転機が訪れることはありうる。「核なき世界」をめざす立場からすると、そこに向けて政治指導者たちに働きかけ、動きそうにない山を動かしていくことが大きな課題である。〉(『核のボタン』３０３頁)

今後、東アジアでは核軍拡が進むことが想定されます。その過程で関係国の指導者が「このままだとまずい」と感じる瞬間が必ず訪れます。その瞬間を摑んで、事態を大きく転換するのです。日本の首相が、米国、ロシア、中国などの首脳を東京に招き、核廃絶に関する政治声明を採択し、核禁条約の批准に向けた環境整備を進めることには大きな意味があります。

また、公明党の支持母体である創価学会は、宗教活動の中心に核廃絶を掲げています。公明党は、この価値観を体現した政党なので、核禁条約の批准についても前向きです。日本の国内政局との関連では、公明党の政治的影響力が強まることが核禁条約の早期批准に直結しています。核廃絶のような問題は、国際政治の勢力均衡論を超える価値観を持った政治指導者でないと実現できません。そういう政治家を国民が育てていくことも重要です。

参考文献

核のボタン
ウィリアム・ペリー／トム・コリーナ
（田井中雅人 訳）
朝日新聞出版

米大統領に核のボタンを専権的に握らせることがどれほど恐ろしいことなのか？　米中ロ新冷戦時代のなかで、今後の核軍縮議論をリードする一冊。'20年刊

第020回

この先、核廃絶は実現できるでしょうか？

相談者● 足立区民（ペンネーム） 会社員 56歳 男性

’21年、戦略核弾頭の配備数と大陸間弾道ミサイルなど運搬手段の削減を定めた新戦略兵器削減条約（新ＳＴＡＲＴ）の５年間延長で米国とロシアが合意しました。現地査察など相互監視下で核軍縮を進める検証システムが維持されることになった意義は大きいと思いました。ただ、’22年に入って米ロの協議は実現しておらず、進展が見られません。核兵器廃絶の実現が容易でないことはわかります。どうしたら核兵器廃絶を実現できるでしょうか？

私は政治家の良心を信じています

核廃絶の実現は難しい課題です。現実の国際関係は核兵器を持つ大国間の恐怖の均衡によって成り立っています。その狭間で北朝鮮のような独裁国家が核開発を行い、体制を維持するために用いています。さらにイランのような、イスラム革命を国外に輸出している原理主義国家も核開発を本気で行っています。

国際政治は生き物です。恐怖の均衡が崩れて人類が破滅する危険があります。'62年にソ連がキューバに核ミサイルを配備したときに第三次世界大戦が勃発するのではないかと世界中が震え上がりました。結局、米国のケネディ大統領とソ連のフルシチョフ共産党第一書記が、人類を滅亡させてはいけないと、互いに譲歩して危機を回避しました。この出来事について、米国の著名なキャスターであるダン・カーリン氏はこう述べています。

〈米大統領とのやりとりを、フルシチョフは次のように書いている。「大統領、われわれもあなたがたも、戦争という結び目のあるロープの両端を引っ張るべきではない。両者が引けば引くほど、結び目は固くなる。そして結んだ当人でさえほどけなくなる。そうなれば結び目を切るしかなくなるが、それを私からあなたに説明はしない。われわれの国がどれほど威力のある兵器を配備したか、あなた自身よく理解しているはずだ」／予想に反して、戦争を起こさずに状況は改善した。最後の最後でソビエトは交換条件を含む秘密のミサイル協定を受け入れ、核兵器をキューバから他へ移すことに同意した。（中略）このニアミスで――理論ではなく経験に基づく――数多くの変化が起きた。それらはこのような事態が再発する確率を下げてくれるはずの変化だった。／一九六〇年代半ば、ハルマゲドンの脅威はまだ続いていたが、世界は多くの教訓を学び、多くの変化が起こり、多くの実践的経験が積まれ、いくつもの複雑なシステムが生まれて、世界はもうマシンガンを手にして遊ぶ幼児のようなもので

はなくなっていた。〉（『危機の世界史』２３０頁）

両首脳が意地を張っていたら、勢いで核戦争が勃発した可能性が十分ありました。緊張が臨界点に達する少し前で、２人が勇気を持って一歩退却したことで核戦争を防ぐことができました。'80年代には米国のレーガン大統領、ブッシュ大統領とソ連のゴルバチョフ共産党書記長が勇気を出して、核戦争の危機を回避しました。'19年には当時のトランプ大統領が北朝鮮の朝鮮労働党委員長（当時、現総書記）と3回会談し、朝鮮半島で核戦争が起きる可能性を著しく減少させました。対北朝鮮政策でトランプ前大統領が残した肯定的遺産を継承していくことはとても重要です。

現在、核廃絶について、核保有国は後ろ向きです。しかし、私は政治家の良心を信じています。緊張が臨界点に達する前に核保有国の政治家が、勇気を持って平和に舵を切る可能性に賭けるしかありません。

参考文献

危機の世界史
ダン・カーリン（渡会圭子 訳）
文藝春秋

疫病、核戦争の脅威など、たびたび危機に直面してきた人類の歴史を、著名ポッドキャスターである著者の自由な語り口でひも解いたキャッチーな歴史読み物。'21年刊

第021回

平和ボケした日本は世界の現実を知るべきだ

相談者●元フランス外人部隊（ペンネーム）警備員 年齢不詳 男性

27歳までボクシングをやり、その後社会にアジャストできず、リングの光を忘れることもできず、フランス外人部隊に入隊し5年の満期契約終了後もフランスに残り、警備の仕事をしています。フランスから見た日本は平和ボケが末期症状まできています。ボクサー時代に目を痛めて引退してから初めて目の不自由な人の世界が見えました。人間なんてどんなきれいごとを言ったところで自分に問題が降ってこない限り他人事なのです。このままでは日本はミサイルが降ってこない限り国防は他人事です。ミサイルが降ってくる前に日本が世界の現実を見るためにはどうすればいいですか？

日本人は北と中国の脅威を認識している

フランスの外人部隊におられ、その後もフランスに在住していられるとのことですが、私は日本人よりもフランス人のほうが平和ボケしていると思います。ほとんどの日本人は、北朝鮮のミサイルが飛んでくる可能性について考えています。また、尖閣諸島問題で日中の武力衝突が発生する危険についても認識しています。韓国との間でも竹島問題をめぐって武力衝突が発生する可能性が完全に排除されていないと思っている人も少なからずいます。

対してフランス人で、隣国であるドイツ、英国、スペインと武力衝突を起こすと考えている人はほとんどいないと思います。'22年2月にはロシアがウクライナに侵攻しましたが、二度の世界大戦を経て西ヨーロッパの人々は、互いに戦争することはないと楽観しています。東西冷戦期には米ソ対立に巻き込まれて戦争になるのではないかという危機感が西ヨーロッパでも高まりました。フランスは核武装することによって抑止力を高めました。確かにフランス軍も旧植民地だった西アフリカに展開しています。しかし、それ故にフランス本国が戦争に巻き込まれると考えているフランス人はいないと思います。その意味で平和ボケは先進資本主義国（ただし戦争を公共事業としている米国を除く）に共通の現象です。平和ボケせずに、いつも戦争の危険を考えているのは北朝鮮、韓国、イスラエル、イラン、シリア、ウクライナ、ロシア、ベラルーシ、アルメニア、アゼルバイジャンのような周辺国との関係が著しく緊張している国だけです。

ちなみに平和ボケを嫌ったのは、歴史的には左翼の人たちです。この点について私はジャーナリストの池上彰氏とこんなやりとりをしています。

〈**池上**　一九～二〇世紀の左翼たちが革命を目指したのも、人間が理性に立脚して社会を人工的に改造すれば、理想的な社会に限りなく近づけると信じていたからですね。

佐藤　そうです。ですから現在一般的に流布している「平和」を重視する人々という左翼観は本来的には左翼とは関係ありません。理性をあくまでも重視し、理想の社会を目指す以上は、敵対する勢力と戦わなければいけないこともありますし、ロシア革命を指導してソ連の建国者となったレーニンは「現在の帝国主義戦争（第一次世界大戦）を内乱に転化せよ」と言っていたくらいですからね。／また意外と見逃されている事実ですが、伝統的な左翼は基本的に人民の武装化を支持するものです。職業軍人のような社会の中の特定の層の人たちが武装するのではなく国民皆兵、つまり全人民が武装すれば、国家の横暴にも対抗しうると考えるからです。〉（『真説日本左翼史――戦後左派の源流　１９４５－１９６０』21～22頁）

国民が軍事や安全保障について日常的に不安を覚えず、軍事のプロにこれらの問題を任せるという状態は、決して悪いことではないと私は考えます。

参考文献

真説 日本左翼史――戦後左派の源流 1945-1960
池上彰／佐藤優
講談社現代新書

貧困と格差問題に、米国で強まる社会主義（ソーシャリズム）。これら「左翼の論点」を思考・検証するために、左翼の歴史を知の巨人がひも解く。'21年刊

生き抜くための読書術

第二章　日本の政治・経済編

第022回

元首相殺害事件で日本の民主主義は失われた

相談者● 市井の人（ペンネーム） 会社役員 62歳 男性

安倍元首相銃撃事件についてです。岸田首相も言ったように、暴力で口を塞ぐことは民主主義国家で許されるものではありません。しかし、許されざる事件が起きてしまいました。30年以上前に金丸信さんや細川護煕さんも銃を持った右翼団体関係者に狙われましたが、私は今回の事件を見て日本が退化しているように感じました。家族の恨みを晴らすための犯行であり、民主主義に対する挑戦ではないと言う人もいますが、成熟した民主主義国家では暴力で口を封じようという発想そのものがなくなると感じています。日本はすでに民主主義国家ではなくなってしまったのか。佐藤さんはどうお考えでしょうか？

機能する民主主義が再発防止に不可欠です

'22年7月8日に安倍晋三元首相が山上徹也被告に銃撃され死亡した事件をきっかけに民主主義に危機が生じているという意見が各方面から出ています。本件をテロとする見方があり

ますが、少しズレていると思います。テロについては法的な定義があります。〈日本では幾つかの法令においてテロの定義が示されています。最近の例では、ドローン規制法（'16年〔平成28年〕成立）第7条第1項や特定秘密保護法（'13年〔平成25年〕成立）第12条第2項において「政治上その他の主義主張に基づき、国家若しくは他人にこれを強要し、又は社会に不安若しくは恐怖を与える目的で人を殺傷し、又は重要な施設その他の物を破壊するための活動をいう」と定義されています。〉（『テロリズムとは何か――〈恐怖〉を読み解くリテラシー』5頁）

山上容疑者は政治的目的を持っていなかったようなので、本件はテロには該当しないと思います。動機についてはこう報じられています。

〈山上容疑者は「母が団体に多額の献金をし、家族がめちゃくちゃになった。10代の頃から団体を恨んでいた」と供述。20年以上、韓国発祥の宗教団体「世界平和統一家庭連合（旧統一教会）」を憎み、団体幹部の殺害も画策していた。〉（'22年7月23日『毎日新聞』）

多額の献金をした結果、破産し、家族が苦しい状況に陥ったのならば、法的手段と言論を通じて、教団に対して異議申し立てを行うのが通常の手法と思います。山上被告は最初からそれを視野に入れず、個人的に暴力に訴えることで問題を解決しようとしました。日本の民主主義制度が機能していれば、このような自力救済を目的にした殺人事件は起きないはずです。その関連で東京大学社会科学研究所の宇野重規教授の見解が興味深いです。

〈（宇野氏は）一方でこの事件は、民主主義の基盤を揺るがしている、とも言う。／殺人容疑で送検された山上徹也容疑者（41）は（中略）「母親が献金して生活が苦しくなり、恨んでいた」と供述しているという。／この言い分を受けて、事件を個人的な問題として片付けようとする論調に、宇野さんは疑問を呈する。「個人的な一種の逆恨みであり、アクシデントだから、政治的な問題ではない、民主主義とは関係がないとする考えは、非常に表層的。そうした理解には異議を唱えたい」／宇野さんの目には、山上容疑者の行動がきわめて政治的に見えたという。それは民主主義のプロセスで、政治家と有権者が最も近づく「選挙」というタイミングが狙われたから、だけではない。意思表明の手段として暴力が使われたことを重く見ている。／「民主主義の敗北だ」と宇野さんは語る。〉（'22年7月18日『朝日新聞』）

宇野氏の説明には説得力があります。日本社会で民主主義を機能させることが、この種の事件の再発を防ぐために不可欠です。

参考文献

テロリズムとは何か
〈恐怖〉を読み解くリテラシー
小林良樹
慶應義塾大学出版会

テロの歴史、特徴、発生のメカニズムなどの解析から政治的暴力の真実を探った一冊。テロの発生を未然に防止するための策はあるのか？ '20年刊

第023回

安倍元首相は国葬にふさわしかったのか？

相談者●おいぼれ（ペンネーム）無職 64歳 男性

'22年9月に安倍元首相の国葬が行われました。戦後の首相としては吉田茂以来2例目。戦後最長の在任期間を誇る元首相ですから、国を挙げて追悼して当然と考えられます。しかし、吉田茂がサンフランシスコ講和条約を締結して日本の独立を勝ち取るという偉大な実績を残したことと比較すると安倍元首相の実績は評価が分かれるところです。天皇皇后両陛下と同列に扱うような国葬が、保守政治家にふさわしいのかという問題もあります。一方で、国葬には各国首脳の参列という外交手段としての一面があるかと思います。外交の最前線で活躍された佐藤さんは、今回の国葬についてどのように考えているのでしょうか？

安倍氏の対ロ外交は今後再評価される

政治家の評価は難しいです。吉田茂氏に関しても、おっしゃるとおり「サンフランシスコ講和条約を締結して日本の独立を勝ち取るという偉大な実績を残した」ことは間違いありません。しかし、講和条約で沖縄と奄美、小笠原は日本の施政権外に置かれました。同胞を切り離した点でのわだかまりが私には残ります。母親が久米島出身で、私自身が沖縄人と日本人の複合アイデンティティを持っているので、やむをえない感情と思います。他方、日本人の大多数が吉田氏の国葬に違和感を覚えなかったこともよくわかります。

現行の法体系では、国葬を決定するのは内閣の専管事項です。この内閣は民主的選挙に基づいて形成されているので、民意を代表していると考えることができます。ただし、国会では日本共産党、社会民主党、れいわ新選組が国葬に反対してきたので、政府は国会で国葬とする判断に至った経緯についてきちんと説明する責任がありました。

私自身は、安倍氏は日本外交において大きな成果をあげたと考えています。21世紀に入ってから国際社会では各国のエゴが強まり、19世紀末から20世紀前半の帝国主義を彷彿させるような状況が生じています。安倍氏は時代の転換を敏感に察知し、日本外交をそれに適応させました。日米同盟を強化するとともに、ロシアとの地政学的連携を強めることに努めました。

安倍氏は決して親ロシアではありませんでした。プーチン大統領について安倍氏はこう述べています。

〈二〇一三年のG8首脳サミットでは、シリア内戦がテーマになった。ロシア以外の七カ国はアサド政権を退陣に追い込むべきだと主張しましたが、プーチン大統領は「この地域は力が支配する世界だから、後継者を決めないと大変なことになる」と反論。G7諸国による反体制派への武器支援についても、軍事介入しない姿勢には冷ややかでした。／プーチン大統領と対話するなかで、我々とは異なる価値観を持つ指導者だと感じましたが、今回のような無謀な戦いに突き進むとは思いもよりませんでした。ウクライナ侵攻における彼の戦略を読み解くのは難しいものの、「選択肢はすべてテーブルの上にある」という姿勢で交渉すべきだったのかもしれません。〉（『安倍晋三　時代に挑む！』18頁）

　価値観の異なるプーチン氏とも折り合いをつけて、日本と隣国のロシアが並存する方策を安倍氏は考えていたのです。ウクライナ戦争の興奮で、日本の政治エリートもマスメディアもロシアとの関係では感情論に走っています。しかし、これでは日本の国益を守ることができません。外交はリアリズム（現実主義）を基礎にして行われなくてはなりません。ウクライナ戦争が終わってしばらく経てば、安倍氏の対ロシア外交戦略が再評価されることになると私は考えています。

参考文献

安倍晋三　時代に挑む！
安倍晋三
WAC

安倍元首相が、櫻井よしこ氏ら7人の識者と「危機の時代」について語り尽くした一冊。元首相が故・石原慎太郎氏に寄せた追悼メッセージなども収録。'22年刊

第024回

安倍元首相に対する評価が分かれるのはなぜか？

相談者●尼（ペンネーム）主婦　58歳　女性

安倍元首相が亡くなってすぐ、プーチン大統領が昭恵夫人に弔電を送ったという佐藤さんの記事を見ました。海外でも安倍外交が高く評価されていたことがよくわかりました。安倍元首相はコミュニケーション能力に優れ、魅力溢れる人物だったと報道するところもありました。しかし、私が感じていたのはまったく逆の人物像です。安保法制を無理やり成立させ、人事で人を縛り付け、お友達（モリカケ）や後援者（桜を見る会）は優遇し、国会では野次り、ふてくされる。あまりいい印象がありません。そうした二面性も魅力の一つだったのでしょうか？　佐藤さんがどう評価されているのか教えていただきたいです。

安倍氏は現実的に日本の独立性を高めた

安倍氏は保守政治家ですが、現状を変革しようとする「闘う政治家」です。政治的な闘いにおいては、敵と味方を峻別し、敵に自分の意思を呑ませることが目標になります。したがって、敵が多くなる宿命にあります。もっともその分、強力な味方も生まれます。

安倍氏の場合、外交に関して、第一次政権のときには理念（イデオロギー）が先行していましたが、'12年12月からの第二次政権では、現実主義の立場で外交を転換しました。この点について、安倍氏が殺害された数時間後にロシア政府系の『第1チャンネル』が放映する政治討論番組「グレート・ゲーム」で興味深い発言がありました。モスクワ国際関係大学ユーラシア研究センターのサフランチューク所長がこんなことを述べました。

「安倍氏は米国との同盟関係を維持しつつ、日本の独立性を確保しようとした。安倍氏のロシアに対する姿勢は非常に興味深かった。安倍氏が権力の座に就くまでの20年間、日本はロシアの弱さに最大限につけ込もうとした。安倍氏はロシアが強くなることに賭けた。強いロシアと合意し、協力関係を構築する。アジア太平洋地域においてもロシアを強くする。地域的規模であるが、アジア太平洋地域において多極的世界を構築し、強いロシアと日本が共存する正常な関係を構築するという政策を安倍氏は推進しようとした」（筆者訳）

安倍氏が日米同盟の強化とともに日本の独立性を高めることを考えていたのは間違いありません。その一つが敵基地攻撃能力の問題です。

〈河野太郎防衛大臣は'20年6月、地上配備型迎撃システム「イージス・アショア」の山口、秋田両県への配備を断念すると決めた。迎撃ミサイルの推進補助装置であるブースターが演習場外に落下し、住民に被害を与える恐れがあるという理由だった。（中略）配備断念を受けて、安倍総理はミサイル迎撃法の代替を検討するとともに、「迎撃だけで国民を守れるのか」という問題意識のもと、いわゆる敵基地攻撃能力の保有を含む「ミサイル阻止」について検討した。敵国が撃ち込んできた多数のミサイルを全て迎撃するのは困難だ。敵国にミサイル発射の動きがある場合、あるいは1発目を既に日本に向けて撃ち込んだ後に2発目発射の動きがある場合、これを叩くことは憲法上、認められている。日本は政策判断として、この手段を取らないとしてきたが、それで十分なのか、という問題意識だった。〉(『経済安全保障――異形の大国、中国を直視せよ』141~142頁)

結局、安倍氏は北朝鮮全域に到達するスタンド・オフ・ミサイルの配備を決定し、抑止力を強化しました。敵基地攻撃能力を持つという政策変更に固執せず、実質的に北朝鮮のミサイルに対する抑止能力を高めましたが、こういう安倍氏の現実主義が専門家以外の人々に理解されなかったのが残念です。

参考文献

経済安全保障――異形の大国、中国を直視せよ
北村滋
中央公論新社

科学技術が雌雄を決する現代戦における日本の立ち位置とは？経済安全保障の強化に心血を注いだ前国家安全保障局長が中国の戦略を踏まえて分析。'22年刊

第025回

岸田政権の大増税を阻止したい

相談者● 民草(ペンネーム) 無職 68歳 男性

日本の物価も上がり続け、雀の涙の年金はすぐに消えてしまいます。わずかに保有している株も岸田政権になってから下がり基調です。それにもかかわらず、岸田政権は大増税を考えているようです。防衛費増強のために消費税は15%になると言われています。道路利用税や炭素税なども検討されたようです。道路利用や炭素に税金がかかると、東北の田舎に暮らす私のような人間にとっては大きな負担になります。このままでは近い将来、私たちの生活はままならなくなります。私も含めて高齢者が増え続けて、医療費負担が増えているのは理解しています。この先、増税以外に手はないのでしょうか?

岸田政権が続く限り国民生活は改善しない

消費増税ならば、教育や福祉など国民への再分配に使われる可能性があるので、一概に悪いとは言えません。実は、消費税は労働者が求める社会主義政策がある程度まで取り入れられたので、その財源として設けられたものです。この点については、'22年12月に「哲学のノーベル賞」と言われるバーグルエン哲学・文化賞を受賞した思想家の柄谷行人氏が適確な指摘をしています。

〈彼ら（註＊プロレタリアート＝賃金労働者）は一定の要求が満たされたら、それ以上の闘争はしない。つまり、現実の階級闘争に根ざしているからといって、それが階級を揚棄する運動になるとは決まっていないのだ。こうして、エンゲルスは一八四二年にイギリスで産業プロレタリアートの〝階級闘争〟を目撃したが、四九年には早くもその消滅に出会ったのである。（中略）それは産業プロレタリアートが敗北したからではない。むしろ、彼らはある程度勝利したのだ。いいかえれば、このとき「社会主義」はある程度勝利したのだが、それとともに消滅したのである。〉（『力と交換様式』３６０〜３６１頁）

資本主義は必然的に格差の拡大をもたらします。これを是正するために国家が行うのが福祉政策です。柄谷氏は〈一八四八年の革命は、資本家と労働者の階級闘争をネーション＝国家によって解決しようとする体制をもたらしたといってよい。それは社会主義的な要素を含んでいた。すなわち、国家による課税–再分配を通して、資本制経済がもたらす階級的格差を軽減するというような体制であった。〉（同）と説明します。私も同じ考えです。

ただし、岸田文雄首相が考えている増税は防衛費を2倍に増やすという、国民の生活に直接還元しない性格のものです。もちろん、安全保障のために合理的かつ十分な防衛力を整備する必要はあります。しかし、岸田政権が進めようとしているのは防衛費をＧＤＰ（国内総生産）の２％にするという数字がひとり歩きしているもので、合理的根拠に欠けます。

ロシアがウクライナに侵攻したので、中国も台湾に侵攻するに違いないという予断に基づいています。ウクライナ戦争が東アジアにどのような影響を与えるかについては、まず冷静な分析が必要なのですが、それができていません。台湾でのリスクが高まった場合も、自衛隊の定員を増やす必要があるのか、どのような装備が必要とされ、それにはどれくらいの予算が必要になるかをきちんと積算しなくてはなりません。防衛計画は5年、10年スパンで行うものであるにもかかわらず、岸田政権にはそのような発想がありません。また、東日本大震災からの復興税（所得税の２・１％）を防衛費に充てる案も浮上しましたが、これは予算の目的外使用で言語道断の話です。この政権が続く限り、国民生活が改善する可能性は低いと思います。選挙の投票であなたの想いを伝えることが重要になります。

参考文献

力と交換様式
柄谷行人
岩波書店

社会構成体の歴史は「生産様式から交換様式へ」と独自の概念を提唱した著者が、交換様式から生まれる力を軸に戦争や恐慌を生む構造を明らかに。'22年刊

第026回

経済システムの大破局は起こりうるのか？

相談者● K商事マン（ペンネーム）会社員 39歳 男性

石角完爾さんの『預金封鎖』（きこ書房）という本を読みました。この本で言ってるファイナル・クラッシュ（経済システムの大破局）とか、預金の引き出し限度額が月1万円……なんてことが現実になったら家のローンがあと21年も残ってる俺はもう破滅じゃないか！　週6日、一日10時間以上働いてきた俺の預金はパアになってしまうのか？　と不安です。本の内容が現実になるなら……一人暮らしの派遣やフリーターたちこそが一番の安全地帯にいるのでは？　佐藤さん、いっそのこと「お前なんか会社も子供の学校も辞めてしまえ！」と一喝してください。そうしたら、踏ん切りがつくので……。

「最悪情勢分析」は予言とは異なる

石角完爾さんの本を私もときどき読みます。石角さんや副島隆彦さんは、インテリジェンスの世界で言うところの「最悪情勢分析」が得意分野です。所与の条件のもとで、近未来に起きうる最悪の状態は何かという分析を行っています。しかし、そのようになる確率は決して高くないと思います。最悪情勢分析は、占い師の予言とは異なるので、現実に起きる可能性が完全に排除されているわけではありません。例えば、日本銀行がこのまま大量の日銀券を刷り続けても、市場での資金需要には限りがあるので、ほとんどが国債になってしまいます。民間銀行はこの国債を買って、日銀に預けています。こうなると事実上、日銀引き受けの国債を発行していることと同じです。その結果、日本の財政状況に対する不安が機関投資家の間で高まり、国債の長期金利が暴騰するような事態になれば、〈ファイナル・クラッシュ（経済システムの大破局）とか、預金の引き出し限度額が月1万円〉というような事態に発展する可能性が十分あります。もっともそのときは、住宅ローンを払うことができる人はほとんどいなくなり、私立学校も破綻するので、あなたが住宅や子供の教育について抱える悩みは、別のかたちになると思います。

一方で、日本の将来に明るい絵を描いている人もいます。日本共産党元委員長の不破哲三さんです。不破さんは、こんな見通しについて述べています。

〈実際、いまの日本を見てもそうでしょう。現にこれだけの生産力の発達がある、その基礎の上に、新しい社会が実現したらどうなるか。まず、いまわれわれが持っている物質的生産力の発展条件だけでも、憲法で言う「健康で文化的な最低限度の生活」をすべての国民に保障できるだけの条件は十分にあります。／しかも、今日の高度に発達した資本主義社会というのは、ムダな仕事が実に多いのです。証券関係の仕事などは、未来ではほとんど不要になる部門ですが、しかし、それがいま経済活動の大きな分野をしめています。〉（『科学的社会主義の理論の発展』69頁）

資本主義制度を変化させれば、搾取がなくなってよい体制になるとのことですが、私は社会主義時代のソ連に住んでいたことがあるので、あの社会がどれほどひどかったかを皮膚感覚で知っています。もちろん、不破さんは、ソ連と日本共産党がこれから打ち立てる社会主義社会は本質的に異なると考えているのですが、私には信じることができません。人間が理性に基づいて、理想的な社会を構築することができるという楽観的な人間観に根本的な問題があると思います。人間は性悪な存在なので、国民が国家指導部を無条件で信頼するようなシステムを構築すると、恐ろしい悲劇が起きると思います。石角さんの予測ほどではないにせよ、近未来の日本も世界も暗くなると私は予測しています。

参考文献

科学的社会主義の理論の発展
マルクスの読み方を深めて
不破哲三

科学的社会主義の理論の発展――マルクスの読み方を深めて
不破哲三
学習の友社

日本共産党社会科学研究所所長を務める著者が民主共和制や多数者革命を通じた資本主義社会の変革を提起。マルクスと革命論の理解を深める一冊。'15年刊

第027回

子供よりも大人の義務教育機関が必要だと感じる

相談者●考える葦（ペンネーム）会社役員　59歳　男性

常々思っていることがあります。本当に教育すべきは子供ではなく、大人のほうではないかということです。公共の場で子供が大声をあげて駆け回っていても注意しない大人。子供を列に並ばせて横入りする大人。自分が楽しみたいがために夜遅くまで子供を連れ回す大人。日本の将来も子供の将来も自分の将来も考えてないと思わざるをえない大人が多すぎます。そんな大人がいるのですから、子供たちがまともに育つはずもありません。大人のために、あるべき大人の日本人像を学ばせる無償の義務教育機関が必要と感じています。定年退職後は、そのような教育に携わりたいと考えているところです。

無節操な政治家は国民生活にも国益にも有害

あなたが指摘されるように、問題行動をとる大人がいます。しかし、それは教育というよりも、むしろしつけの問題です。孔子は『論語』でこう述べています。

〈先生の門人の有子がいわれた。／「孝（父母によく仕えること）と弟（兄や年長者によく仕えること）ができている人柄でありながら、目上の人に対して道理に外れたことをするのを好む者は、ほとんどいない。目上に逆らうことを好まない者で、乱を起こすのを好む者は、いない。／君子は本、つまりものごとの根本に力を尽くす。本、つまり根元が定まって、道、道理が生じる。孝と弟の二つの徳こそ、最高の徳である仁（自然に湧くまごころ、愛情）の本であろう。」〉（『論語』8頁）

若い頃にしつけの根本が定まっていない人が、大人になってそれを改めることはまず不可能です。こんな大人のために日本人像を学ばせる無償の義務教育機関を設けて、国民の税金を浪費するべきではありません。変な人間は、時間が経てば社会から淘汰されていきます。「子供を列に並ばせて横入りする大人」が大人の多数派になることはありません。もっとも「公共の場で子供が大声を出して駆け回る」ことは、かなりのところ、子供の習性です。私もあなたも子供の頃は、大声を出して公共の場で走り回ったはずです。それだから、子供の行動に関しては、しつけつつも寛容さを失わないことが重要です。

大人のしつけについても、放置してはいけない問題もあります。それは、政務調査費の不正使用を追及されて号泣する県会議員や、暴言を繰り返し、閣僚を辞任せざるを得なくなった国会議員などの立ち居振る舞いです。このような人たちの常識に反する無節操な行動は、国民生活と国益の双方にとって有害だからです。もっとも、しつけがよくできていない人を選挙で代表に選んでしまう我々にも責任があります。

お尋ねの大人に対する教育は、しつけとは別の位相のことと考えています。英語力をつける、経済や国際関係の知識を身につけるなどということも教育の重要な課題です。それと同時に、自分の死に備え、人生の総括をすることも50代以降の人にとって重要な課題になります。当然のことですが、両親がいなければ、私たちは生まれてきませんでした。また、日本の社会によって私たちは育まれてきました。それだから、この社会をどのようにして次の世代の日本人に引き継いでいくかという重要な課題を私たちは担っているのです。私たち一人ひとりが、次世代のことを考えて模範的に生きることを心がけるべきと思います。そういう生き方をする人に、若い世代の日本人も感化されます。あなたが批判するしつけのなっていない大人も影響を受けるかもしれません。多くの人の努力の積み重ねが社会を強化します。

参考文献

論語
齋藤孝 訳
ちくま文庫

2500年以上も読み継がれてきた東洋の大古典「論語」を現代語訳。「学ぶ」ことを人生の軸とした孔子のユーモア溢れる表現も見事に日本語で再現した一冊。'16年刊

第028回

口だけ達者な野党に不満がある！

相談者●やっかみ男（ペンネーム）会社員56歳 男性

私は近年の県議選、市議選、参院選で自民党候補に一票を投じました。入れたい人はおらず、野党は言っていることと行っていることに乖離が見られ、不毛の選択というのが本音です。野党は批判の口は達者ですが、そればかりで具体案を唱えません。この体質は何ともしがたいものです。国民のためというより、一サラリーマンのように保身に汲々とし、とにかく議員バッジを手放したくないとの魂胆が見え隠れしているのは明白です。こんな感じで2大政党制を、とのお題目は有権者をあまりにもバカにしているのではないでしょうか？ 政治屋に血税をかすめ取られている気持ちです。

国民は消極的に自民党を支持している

私も現在の野党は頼りないと思います。自民党と同様に「全体の代表」になろうとするからです。政党を英語で「ポリティカル・パーティ」と言いますが、「パート」が部分を表すように、政党とは社会の一部の利益を代表する結社です。公明党と共産党以外は、全体を代表する「権力党」の発想です。その結果、選挙は単なる権力闘争になってしまいます。

国民は積極的に自民党を支持しているのではないと思います。政権交代が起きると大混乱が生じる可能性があるので、消極的に自民党を支持しているのです。自民党の場合、地方議員は自分の後援会をつくっています。国会議員では自前の後援会を持っていない人が多いです。選挙は、地方議員の後援会と公明党の支持母体である創価学会に依存しているというのが実態です。こういう国会議員のメンタリティは、サラリーマンに近いです。一方、政治家は落選したときのことが怖いので、歳費を貯め込む傾向があります。野党でも、自前の後援会を持っている人は少なく、大多数は連合（労働組合）の組織票をあてにしています。地方議員の場合は、風頼みの人も多いです。

現在、野党に必要なのは、はっきりした政治哲学です。国民民主党と立憲民主党、両党の政治家から頼りにされている井手英策・慶應義塾大学大学院教授がこんな指摘をしています。〈野党とは政府に属さない在野の党をさす。であれば、政府とはちがう政策を示してはじめて野党は野党たりえる。政府の主張に反対するだけでは野党とは言えない。／リベラルは自由で公正、そして人びとが連帯する社会をめざす。自由で公正で、連帯する社会をめざすことに、右や左、政党や立場のちがいは関係ない。そして、僕たちは「恩讐の彼方」で出会い、立ちあがったのだ。〉（『リベラルは死なない――将来不安を解決する設計図』8頁）

井手氏の場合は、大幅な増税を行う代わりに、教育や医療、住宅の社会保障を強化する「オール・フォー・オール」という理念を打ち出します。もっとも、自民党や公明党にも井手氏と同様の考えを持つ人もいます。対して、政府はできるだけ小さく、国民の税負担を軽くするが、給付も行わないほうがいいと考える新自由主義者がいます。自民党も小泉純一郎政権のときは新自由主義的政策を推進しました。

理想的には、理念を共有する人が同じ政党に結集すればいいのですが、現実にはそうなりません。日本の文化に、政党政治を嫌う体質が埋め込まれているからだと私は見ています。仮に政権交代が起きても、新たな与党はしばらくすれば自民党と同じ「全体の代表」を標榜する権力党になります。政党に過度な期待を持てない現状から、政権が優位に立つファシズムが生まれてくる危険があります。この危険を排除するためにも、政党には理念を明確に提示してほしいです。

参考文献

リベラルは死なない
将来不安を解決する設計図
井手英策 編
Ide Eisaku
Asahi Shinsho 711

リベラルは死なない——将来不安を解決する設計図
井手英策
朝日新書

新しいリベラルの道とは？ 財源論から目をそらさず国民の生活に寄り添った政策を打ち出していくこと以外にない。著者が若手政治家らと記した一冊。'19年刊

第029回

マイナンバーと口座の紐づけで超管理社会になる？

相談者● 岡村擁護派（ペンネーム）会社員 57歳 男性

マイナンバーカードに個人の全口座の紐づけする動きが進んでいます。私が副収入を得たら瞬く間に国税に捕捉されるということでしょうか？ キャシュレス化も同時に進んでいます。こうなるとすべての国民のお金の動きはマイナンバーを通じて捕捉され、未来は超管理社会が到来しそうですが、佐藤先生はどうなると思いますか。法的に防ぐ方法などあるのでしょうか。

国のマフィア化を防ぐためにも紐づけは必要

国家には国民のすべてを知っておきたいという欲望があります。日本の場合、1930年代から太平洋戦争に敗北する'45年8月まで国家機能が異常に肥大し、国民の自由を圧迫したことがあるので、戦後は国家による監視を極少にとどめる政策が取られてきました。その結果、行政の効率性が他の先進国と較べて低くなっています。

徴税は国家の基本的機能です。徴税を効率的に行い、脱税をなくすためにマイナンバーと銀行口座を紐づけることには合理性があります。この合理性と国民の自由の侵害がどの程度、なされるかについて、冷静に比較衡量しなくてはなりません。

私はマイナンバーと銀行口座を結びつけることで、日本が巨大な監視国家になるとは思いません。より正確に言うと、監視カメラや通信傍受などによって日本は十分に監視国家になっています。コロナ禍で財政が厳しくなっている状況で、国家の徴税機能はますます重要になります。税逃れを防ぐという政府の目的は正しいと思います。

確かに国家の監視能力が強まることは国民として愉快ではありません。また、国家は暴走する危険をはらんでいるので、それを国民の側から監視する仕組みも不可欠です。だからといって、国家が弱くなればよいということではありません。日本の国家機能が弱体化するとどのようなことになるか真剣に考えてみましょう。この点で、ソ連最後の大統領だったミハイル・ゴルバチョフ氏の指摘が参考になります。

〈国家の役割の弱体化は、長年の統計が示しているように、経済成長のテンポを速めることにはなっていない（たとえば、1950年代から60年代までと比較しても、それほど速まっていない）。その代わり、金融マフィアや汚職が横行し、多くの国の経済に犯罪組織が侵入し、ロビー団体の役割が過度に増大したことで、国家は異なる方向に向かった。（中略）国家はべビーシッターではなく、人々を〈ゆりかごから墓場まで〉扶養すべきではないと言われる。それはその通りだ。しかし、国家は少なくとも、金融を含めて強盗や略奪者から市民を守る義務がある。〉(『変わりゆく世界の中で』309~310頁)

ゴルバチョフ氏はソ連国家の崩壊によりロシア、ウクライナ、中央アジア諸国などで経済が犯罪化し、国家がマフィア化したことに対して忸怩たる思いを抱いているのだと思います。

資本主義社会において、カネは権力を持ちます。国家という暴力装置で、カネの力を抑えないと、格差が拡大します。一旦、底辺に転落してしまった人は自分の力で社会的に上昇することがとても難しくなります。

豊かな人から貧しい人に富を再分配し、格差を是正するうえで重要になるのが、徴税機能です。富裕層からきちんと税を徴収し、それを再分配するという観点からも、マイナンバーカードと銀行口座を紐づける必要があると思います。

参考文献

変わりゆく世界の中で
ミハイル・ゴルバチョフ(副島英樹 訳)
朝日新聞出版

ゴルバチョフ氏が尽力した中距離核戦力全廃条約が'19年8月、米国の離脱によって失効。なぜ氏は世界を核の惨事から救おうと動いたのか? 歴史をひも解く。'20年刊

第030回

デジタル化が遅れている日本をどう変えたらいいのか?

相談者●柚子胡椒(ペンネーム) 会社員 56歳 男性

経済協力開発機構(OECD)によると、加盟37か国の中でも、日本は職場のデジタル化が大幅に遅れている国であるといいます。デジタル庁を発足させ、政府をあげてデジタル化を推進していますが、その効果が表れているようには感じられません。新型コロナウイルスの感染予防策としてのICT活用の進展は見られたように感じていますが、この状況を抜本的に変えるにはどうしたらいいでしょうか、佐藤さん教えてください。

デジタル化の進展で格差は一層拡大する

これまで日本のデジタル化は遅れていました。これが新型コロナウイルスによる混乱に直面して大きく変わっていきました。菅義偉前首相のブレーンの一人である竹中平蔵氏はこう述べています。

〈デジタル資本主義の時代に向けて、まず行うべきは日本が遅れている医療、教育、公的部門におけるデジタル化です。（中略）遠隔診療は、二〇一五年に閣議決定されています。にもかかわらず、この五年でほとんど進んでいません。その結果、今回のパンデミックでは、医療現場は大きく疲弊・混乱し、医療崩壊すら招きかねない事態となりました。／新型コロナウイルスの感染者であれ別の病気の患者であれ、軽症者は遠隔診療が当たり前になっていれば、そうした事態は防げたはずです。／遠隔診療でよく言われるのが、「フェイス・トゥ・フェイス（対面）でないと安心が保たれない」というものです。しかしテクノロジーの進化により、今では画面越しの診察でも顔色をはじめ、かなりのことが正確にわかります。実際に触らなくても、触っているような感覚を得ることさえ可能です。（中略）教育もそうです。今、教師の事務負担が大きく、授業の準備にまで手が回らないといった問題があります。これに対し、学校の事務業務の中には、デジタル化で解決できる部分もたくさんあります。授業にしても、定型化できるものは、全部動画配信にすれば、教師は同じ授業を、いろいろな生徒に何度もする必要がなくなります。〉（『ポストコロナの「日本改造計画」』１３６～１３７頁）

菅前首相は、新政権の目玉として、デジタル庁の創設を掲げ、それを実現しました。今後、医療、教育、行政の分野でデジタル化が急速に進んでいくと思います。しかし、その結果もたらされるのは、いいことばかりではありません。私は京都の同志社大学と同志社女子大学で、'20年の春学期はリモートで授業を行いました。教育にデジタルを導入すると、できる学生とそうでない学生の格差が拡大します。基礎学力に欠損がある学生ほどアクティブラーニングのまねごとのようなことをしたがります。基礎知識を欠いていても、パフォーマンスでごまかせると思っているのでしょう。顔を突き合わせていると、学生のこういったパフォーマンスに騙されることもありますが、デジタルですと課題を与えて、結果を文章で求めることが多いので、パフォーマンスが通用しにくくなります。

教育においても医療においても、対面でないと伝えられない事柄があります。デジタル化が進むとアナログな人間的接触の価値が高まります。その結果、「デジタル+対面」の機会に恵まれている人が社会の上層部を、もっぱらデジタルだけを使う人が中堅、デジタルを使うことができない人が下層を占めるということになります。デジタルの普及によって日本の格差は一層拡大します。

参考文献

ポストコロナの「日本改造計画」
竹中平蔵
PHP研究所

小泉政権時代から経済ブレーンとして活躍し、菅政権でも助言役を担った著者が、米中2大経済大国と闘うためにまとめた6つの提言を一冊に。'20年刊

第031回

日本は脱炭素社会を実現できるのか?

相談者●ブランク永井(ペンネーム)会社員 56歳 男性

世界各地の異常気象を見ても温暖化対策は喫緊の課題であり、国際社会も動きを強めています。日本も'20年、地球温暖化対策の国際枠組み「パリ協定」を受けて長期戦略を決定し、今世紀後半のできるだけ早い時期に脱炭素社会を実現する計画を示しました。しかし、脱炭素社会の実現は容易ではない。どうしたら脱炭素社会を実現できるでしょうか、佐藤さん教えてください。

脱炭素時代の新たな思想が求められる

'20年10月26日に召集された臨時国会で、当時の菅義偉首相は所信表明演説を行い、脱炭素社会の実現に向けて「2050年までに、温室効果ガスの排出を全体としてゼロにする」と表明しました。これに対して、同日、日本経済新聞は社説で次のような指摘をしました。

〈容易ではないが、官民ともに脱炭素化を単なるコスト負担と考えず攻めの機会ととらえ、産業構造や社会構造の転換を急ぐべきだ。／温暖化が引き金とみられる豪雨や熱波が頻発し、世界的に危機感が高まっている。20年以降の温暖化対策の国際枠組み「パリ協定」の下で、欧州連合（EU）を中心に削減加速の動きが出ていた。／50年の脱炭素化を早くから掲げるEUは、温暖化対策を新型コロナウイルスで傷んだ経済からの復興策の柱に位置づけた。対策が不十分な国からの輸入品に課税する方針も示している。中国も60年までの実質ゼロを打ち出した。／日本はこれまで「50年にできるだけ近い時期」の脱炭素化をめざすとしながら、期限の明示は避けてきた。急激な脱石炭は難しい鉄鋼、電力業界などに、慎重論が根強いためだ。／だが、自動車、素材、情報産業などからは、世界の潮流に乗り遅れ競争上不利になると懸念が出ていた。投資家も企業の温暖化対策を厳しく評価する傾向にある。政府の目標が明確になれば、企業は長期戦略をたてやすくなる。〉

このような政府のやり方では脱炭素化は実現できないという批判も存在します。その中で、斎藤幸平氏（東京大学大学院准教授）の主張に説得力があると思います。斎藤氏は、我々が低成長に舵を切る必要があると主張します。

〈使用価値経済への転換によって、生産のダイナミクスは大きく変わる。金儲けのためだけの、意味のない仕事を大幅に減らすからである。そして、社会の再生産にとって本当に必要な生産に労働力を意識的に配分するようになっていく。

例えば、マーケティング、広告、パッケージングなどによって人々の欲望を不必要に喚起することは禁止される。（中略）

必要のないものを作るのをやめれば、社会全体の総労働時間は大幅に削減できる。労働時間を短縮しても、意味のない仕事が減るだけなので、社会の実質的な繁栄は維持される。それどころか、労働時間を減らすことは、人々の生活にとっても、また自然環境にとっても好ましい影響をもたらす。〉（『人新世の「資本論」』302〜303頁）

'70年代のエネルギー使用量まで我々の生活を下げれば、脱炭素化も達成できます。生活は多少、不便になるかもしれませんが、十分に健康で文化的な生活をしていくことは可能です。もっとも、資本は自己増殖する傾向があるので、低成長社会に転換するには、今までと異なる価値観が必要になります。その意味で、脱炭素時代の新たな思想が求められています。

参考文献

人新世の「資本論」
斎藤幸平
集英社新書

人類が地球を破壊する「人新世」。そんな環境危機の時代に豊かな未来を切り開くには？　著者は資本主義の際限なき利潤追求をやめるべきと説く。'20年刊

第032回

菅政権の携帯電話料金引き下げ要請はパワハラと同じだ

相談者●スーパーナチュラル(ペンネーム) 会社員 40歳 男性

菅政権時代に携帯電話料金の引き下げを要請しましたが、民主主義国家の首相が強権を発動して、民間に圧力をかけるのはアリでしょうか? 電波という公共資産を活用するビジネスとはいえ、国が一方的に民間の利益を削るような行為は看過できません。民間に賃上げを迫った安倍政権時代から感じていたことですが、日本はどんどん社会主義に移行しているように感じます。国民のニーズに適っていることは国の圧力を容認する理由にはなりません。圧力をかけることは政策ではありません。ぜひ佐藤さんのご意見を伺いたいです。なお、私は通信キャリアに勤めているわけでも、大企業の役員でもありません。

菅氏の値下げ政策は競争強化が目的だった

携帯電話料金の値下げに関して、菅政権が民間企業の活動に介入したのは間違いありません。しかし、その目的は、社会主義を実現するためではありません。国家の介入によって、市場競争を強化しようとしたのです。歴史的には、国王や貴族が経営する貿易会社や同業者組合に圧力をかけて、自由主義的な資本主義を実現しようとした例に似ています。携帯電話料金を引き下げ、通信分野での競争を強化することが、経済発展に資すると考えているのでしょう。当時の菅首相は、NHKの受信料値下げも公約に掲げていました。可処分所得が増えるので、国民は菅政権の値下げ政策を歓迎しました。さらにその先の段階では、民間放送局の電波使用料の大幅な引き上げを行うと私は見ていました。電波オークション方式が採用されれば、結果として国の歳入は増える可能性があるからです。

社会主義の場合、国家が経済に介入する目的は、国民間の格差を是正するためです。これに対して、菅政権が介入する目的は競争を強化するためでした。その結果、競争に強い者は、ますます豊かになるでしょう。しかし、ひとたび貧困層に転落するとそこから這い上がるのは難しくなります。こういう近未来の姿がよく見えているのが、企業再生の専門家として有名な冨山和彦氏です。冨山氏は、近未来の状況について、こんな見通しをしています。

〈グローバル化とともにマネーの概念化、デジタル化が進んでいる中で、国家と民間企業の経済活動の関係も相対化している。政府という国家法人が破産しても、その国家領域の経済が死ぬわけではない。それは23年前、IMF管理下に入った韓国経済のケースを見れば明らかである。また、国債金利はリスクフリーレート、すなわち当該通貨における最も低い金利ということになっているが、政府がデフォルト状態になっても、その通貨で発行している超優良企業の社債金利がそれより低くなることはありうる。意外とハイパーインフレにはならず、その金利は思ったより低いままかもしれない。要するに何でも起きうるのだ。〉（『コーポレート・トランスフォーメーション』355頁）

コロナ禍には政府が企業や国民に給付金を支給したり、貸し付けをしたので、菅政権の本質が見えにくくなっていました。私は、菅政権は小泉政権と親和性の高い新自由主義政策を基本に据えていたと見ています。したがって、コロナの流行が一段落したところでは、「生き残るために各人、各企業が努力せよ」という自助の方針を強調するようになっただろうと考えています。

今後、企業の倒産やクビ切りも増えると思います。そのような状況に備えて、国家や企業に頼らなくても生きていけるスキルを各人が備えなくてはならない時代になってきます。強い者にとって生きやすく、弱い者にとっては苦しい社会になるでしょう。

参考文献

コーポレート・トランスフォーメーション――日本の会社をつくり変える
冨山和彦
文藝春秋

日本の「カイシャ」モデルは終焉へ？　カネボウ再建などを手掛けてきた企業再生のプロが示す、「デジタル×中小企業×地方シフト」の方策とは。'20年刊

第033回

団塊世代の菅前総理は予想以上のダメ総理でした

相談者●匿名希望（ペンネーム）会社員 63歳 男性

私は菅さんが総理になったときに悪い予感がしていました。菅さんは官房長官時代は切れ者で通っていましたが、まさかここまでダメ総理とは思いませんでした。悪い予感とは菅総理が団塊の世代だったからです。口先だけはうまく、攻撃は得意だが、創る力はほぼゼロのこの世代、この団塊の世代のほかの政治家は鳩山由紀夫、菅直人、猪瀬直樹、舛添要一とロクなのがいません。佐藤さんはこの団塊世代にどんな思いを持っていますか。

コロナ克服のために政治主導が必要でした

朝日新聞社が'21年1月23・24日に実施した全国世論調査（電話）によると当時の菅義偉内閣の支持率は33％（前年12月は39％）に下がり、不支持率は45％（同35％）に増えて支持を上回りました。当時、〈党内には「選挙の顔」としての菅首相に不安を持つ議員も出てきた。ある中堅議員は「2連ポスターを菅さんにしようかどうか迷っている。秘書からは『別の人がいい』と言われた」と語る。〉（'21年1月26日付の同紙）と報じられています。

しかし、私は菅政権が近未来に危機的状況に陥り、政局になるとは見ていませんでした。他国と比べてみると日本の政治の特徴がわかります。ロシアのプーチン大統領にコロナ禍で国民生活を保全する能力がないと、ロシア人は冷めた目で見ていました。ロシア政府のコロナ対策は問題だらけでしたが、自分の生活は家族、親族と友人たちで守るのが当たり前という意識がロシア人には染みついています。

ロシア人には30年前、ソ連崩壊前後の混乱状態を自助と共助で乗り切った経験があります。あの大激変と比べればコロナ禍は大した危機ではなかったのです。冒頭で述べたように日本では当時、菅内閣に対する支持率が急落しました。その主たる要因は、政府のコロナ対策に国民が不満と不安を抱いていたからです。

ここで重要なのは「危機克服のために首相や政府が適切な行動をしてくれる」という期待感が前提としてあることです。ロシアでは国家指導者と国民が断絶しているのに対して、日本では連続しています。あえて刺激的な言葉を用いると父親に対する甘えのような感情を我々は菅総理に対して抱いていたのだと思います。それが善いとか悪いとかいうことではなく、政治指導者と国民の相互依存性が高いという文化のもとで我々は生活しているのです。

'20年8月末に安倍晋三首相が健康上の理由で突然、辞意表明することがなければ、菅政権は誕生しませんでした。その意味で、菅氏は「偶然の首相」でした。菅氏は、自分の政治スタイルについてこう述べています。

〈官僚は本能的に政治家を注意深く観察し、信頼できるかどうか観ています。政治家が自ら指示したことについて責任回避するようでは、官僚はやる気を失くし、機能しなくなります。

責任は政治家が全て負うという姿勢を強く示すことが重要なのです。それによって官僚からの信頼を得て、仕事を前に進めることができるのです。〉（『政治家の覚悟』26～27頁）

ここから窺えるのは猜疑心の強さです。官僚機構が上げてくる情報を額面どおりには受け入れません。民間からさまざまな意見を吸収し、頭作りをします。これは唯我独尊体質の強い団塊世代の政治家とは異なります。マキャベリが『君主論』で君主が追従を避けて、権力を維持するために採るべきと勧めている手法そのものです。コロナ禍を克服するためには、政治主導が必要なので、菅総理の政策は基本的に間違っていなかったと私は思います。

参考文献

政治家の覚悟
菅義偉
文春新書

'12年刊行の単行本『政治家の覚悟 官僚を動かせ』をもとに、官房長官時代のインタビューなどを収録。政治家・菅義偉の姿勢を浮き彫りにした一冊。'20年刊

第034回

なぜ収入も地位もある官僚がタダ飯接待を受けるのか？

相談者●有象無象（ペンネーム） 会社員 58歳 男性

'21年に菅首相の長男による総務官僚への接待が大きく報じられました。なぜ、地位も名誉もある官僚がタダ飯の接待を受けるのでしょうか？ 安定した収入も地位もあるはずなのに、不思議で仕方ありません。賄賂にしては額が小さく危険です。業者は密告しないという判断なのでしょうか？ 接待に参加しないと左遷されるのでしょうか？ 元官僚である佐藤先生の考えはいかがですか。

「接待＝賄賂」と短絡的に考えてはならない

まず、当時の総務官僚の接待疑惑（というか事件）は異常です。総務省幹部が、菅義偉首相の長男が勤務する放送事業会社「東北新社」から接待されていました。それに加え、複数の総務省幹部がＮＴＴグループから接待を受けた事実も明らかになりました。国家公務員倫理法に抵触する深刻な問題です。

私は外務官僚でした。外交団、国会議員、マスコミ関係者、学者、商社関係者との会食は頻繁にありました。こうした非公式な形態で、政治家、新聞記者、商社員などの本音を聞くことが、現実的な政策を構築する上で不可欠だったからです。もっとも筆者が勤務していた国際情報局（現在の国際情報統括官組織）は、入札などの業務がほとんどなかったので、利害関係者に該当する人との接触はありませんでした。また、私は外務省報償費（いわゆる機密費）を使える立場にいたので、会食は外務省の予算で処理していました。そのほうが相手に貸しをつくることができ、情報屋としての仕事を進めやすくなるからです。5000円以上の接待を受けたときは贈与等報告書を倫理監督官に提出していました。'02年に私は鈴木宗男事件に連座して東京地検特捜部に背任と偽計業務妨害の容疑で逮捕・起訴され、'09年に最高裁判所で懲役2年6月（執行猶予4年）の有罪が確定しましたが、国家公務員倫理法関連での処分は一切受けていません。

総務官僚のように利害関係者から接待を受けるのは論外です。しかし、それ故に一律に公務員の民間人との会食を禁止してしまうと、正確な情報に基づく政策の策定ができないので、国民に損失を与えます。会食は情報を扱う官庁にとって死活的に重要になります。法務省の外局に公安調査庁という役所があります。テロ組織などの動静を調査する役所です。ここに勤務する公安調査官についての小説で、手嶋龍一氏がこんなことを書いています。国際テロ班首席の柏倉頼之が新人の梶壮太を教育する過程での出来事です。

〈午後六時半だというのに、もうもうと煙がたちこめる店内はほぼ満席だった。すっかり出来上がった常連さんもいる。テーブルにつくと眞露の一リットルボトルがどんと置かれた。

これが「ヤキニク十年、マッコリ二十年」なのか――。

柏倉が駆け出しの頃は、公安調査庁の最大にして最重要のターゲットは朝鮮総連だった。情報提供者を先輩の調査官から引き継いで、なんとか話を聞き出せるようになるまで、新米調査官はひたすら北系統の焼肉店に通い詰めたという。「焼肉工作」こそ最良の新人教育と信じられていた時代だった。柏倉もまた「マッコリ学校」の卒業生のひとりだったらしい。〉（『鳴かずのカッコウ』60頁）

時には接待されることで相手との信頼関係を増進し、貴重な情報を得て、それを国民のために活用することができます。「接待＝賄賂」と短絡的に考えないほうがいいと思います。

参考文献

鳴かずのカッコウ
手嶋龍一
小学館

警察や防衛省の情報機関と比べて人もカネも乏しい公安調査庁。そんな組織に入庁してしまったマンガオタク青年の〝インテリジェンス生活〟を描いた作品。'21年刊

第035回

プラゴミの海洋汚染問題を解決したい！

相談者●ナポレオンフィッシュ（ペンネーム）会社員 56歳 男性

世界各地から大量のプラスチックゴミ（プラゴミ）が海に流入することで、ウミガメや海鳥などがプラゴミを飲み込んで窒息死するなど、海洋生物に悪影響が及んでいます。こうしたプラゴミによる海洋汚染は、今や国際社会の優先課題の一つでもあります。この問題を解決するには、どうしたらいいでしょうか？

地球環境全体を生命体と見なす価値観が必要

プラスチックは我々の生活のありとあらゆる分野に入り込んでいます。プラスチックを分解する菌もあるのですが、まだ広がっていません。この菌が十分に広がればプラスチックも分解されて土になるのでしょうが、その前に人類が滅びてしまう可能性が高いです。

プラスチックは、現代の経済システムに完全に組み込まれています。例えば、コンビニやスーパーで、プラスチックの袋をもらわずにエコバッグを利用することで環境に貢献していると考えている人が少なからずいます。

しかし、製造過程まで考慮するならば、エコバッグを使うほうが、化石エネルギーの使用もCO_2の排出量も多くなるという場合もあるのです。

個々人の努力によりプラスチックゴミをなくすというアプローチは非現実的です。国家が強い政策的介入をする必要に迫られていると思います。それを実現するためにはプラスチックゴミ問題だけでなく、環境や生態系を重視する価値観を持つ政治家が活動することが重要になります。公明党の山口那津男代表はこんなことを述べています。

〈公明党は人間だけでなく、動物や植物を含め、地球環境全体を生命体だと考えています。地球生態系の生命を重視するならば、脱炭素社会はどうしても実現しなければなりません。

地球という巨大な生命体を人類が毀損し、場合によっては取り返しがつかないほど破壊してしまうことがあってはならない。こうした強い思いは、公明党の根っこにある基本的な価値観から出てくるのです。根っこの価値観から出てきている発想ですから、その力は非常に強いですし、安易な政治的妥協なんてできません。〉(『公明党　その真価を問う』266頁)

公明党は価値観を重視する政党です。その価値観は、支持母体である創価学会の生命観、人間観に基づいていています。「動物や植物を含め、地球環境全体を生命体だと考える」という創価学会の価値観を政治次元で実現しようとしているところに公明党の特徴があります。

環境運動に取り組む政党や団体の中には、この運動を社会主義革命・共産主義革命のために利用しようとする勢力もあります。こういう政党や団体は「共産主義革命という目的を実現するためには、どのような手段を用いてもよい」と考えます。その手段として脱炭素化やプラスチックゴミ対策を掲げます。しかし、地球生態系を生命体と見る優しさに欠けているので、運動も党派的になりやすいのです。

階級闘争史観に立つ人々は、政府や大企業、そしてアメリカを敵視する傾向が強いです。しかし、プラスチックゴミ問題の解決は、階級や国家の壁を越えて行われなくてはなりません。私は地球環境全体を生命体と見なす価値観が政治家や官僚、国民に広がることによって、少し不便でもプラスチックを少なくする生活に我々が慣れていくという方策が現実的と考えます。

参考文献

公明党 その真価を問う
山口那津男／佐藤優
潮新書

創価学会を支持母体とする与党・公明党が描く日本像とは？ コロナ対策や不妊治療の保険適用、災害対策など幅広いテーマで知の巨人が問うた一冊。'21年刊

第036回

憲法を改正すべきという根拠は何でしょうか?

相談者●アナーキスト(ペンネーム) 会社員 58歳 男性

憲法記念日で思ったこと。法律なんてものは、運用次第、解釈次第、世界情勢次第でいかようにも変わるということです。安倍政権時代には集団的自衛権の行使容認をめぐって、解釈改憲もなされました。日本に平和憲法があっても、自衛隊は存在します。武器も保有しています。戦車もあります。イージス艦もあります。ステルス戦闘機もあります。国の憲法を改正すべきという根拠は何でしょうか。

安倍政権と菅政権は一種のシステムだった

あなたがおっしゃるとおり、現状で憲法改正の必要性を本気で感じている人はほとんどいないと思います。それは現行憲法がよくできているからではなく、憲法によって国家の恣意的活動を規制するという立憲主義の考え方が、この国に根付いていないからだと思います。

自民党と連立政権を組む公明党は、現行憲法はよいものなので時代に適応した内容を付け加えていくという「加憲」の立場を取っています。これは、現行憲法は米国の占領下で作られたものなので自主憲法を制定すべきとする自民党とは根本から異なります。自主憲法制定という観点で改憲を主張する政治家は日本維新の会、国民民主党、立憲民主党にも少なからずいます。にもかかわらず憲法改正の機運が醸成されないのは、政治エリートがその必要性を感じていないからです。この謎を解明した白井聡氏（京都精華大学専任講師）は次のような指摘をしています。

〈第二次安倍政権の後半期に頻繁にメディア上の言説に現れるようになった言葉は、「安倍一強体制」という言葉だった。この用語を使った人々の意図や意識はどうあれ、失政を重ねスキャンダルにまみれても倒れない安倍政権は、単なる長期「政権」と見るべきものではなく一個の「体制」となったという状況を、この用語は物語っていた。（中略）

二〇〇九年には本格的政権交代が実現された（鳩山由紀夫政権）。しかし、民主党政権は、鳩山から菅直人、野田佳彦と首班を代えつつ、当初寄せられた国民の支持を劇的に失っていった。そして、二〇一二年の総選挙において安倍晋三率いる自民党が勝利して政権を奪還する。こうして成立した安倍政権が驚異的な長期政権として維持され、さらに菅義偉を正統後継者として選び出すかたちで、現在に至っているわけである。その間、民主党は離合集散を繰り返してきたが、正統後継者たる立憲民主党の支持率は一向に上向かず、自民党に代わっ

て政権を担いうる党であるという社会的認知を取り戻せないままである。〉（『主権者のいない国』50頁）

権力の本質は、相手の望まない事柄を押しつけるところにあります。安倍政権と菅義偉政権は、一種のシステムになっていました。中央政治、地方政治（沖縄を除く）、経済、マスメディアなどのエリートが、安倍氏なり菅氏なりが専制的権力を行使しているように見せかけることに利益を見いだしていました。

ここで「見せかける」という言葉を用いたのは、既存のシステムを維持できる人物ならば、首相は誰であっても本質的相異はないという見方に立っているからです。首相は国家権力の機関として機能しています。皇帝が誰であっても帝国は維持されるというロシア帝国やハプスブルク帝国に似たような状態になっているように思えます。このような状況で権力を握っている人々は憲法改正のために無駄なエネルギーは使わないと思います。

参考文献

主権者のいない国
白井聡
講談社

なぜ「政府はロクでもない」と難じるのか？　なぜ私たちは主権者であろうとしないのか？　政治が国民にとっての〝災厄〟となった時代をひも解く一冊。'21年刊

第037回

経済大国化にも失敗した日本は何を目指すべきか？

相談者● ニヒリスト（ペンネーム）会社員 56歳 男性

日本の近代化の過程で、軍事大国化の挫折（敗戦）、経済大国化の挫折（バブルの崩壊）を経験して、その後の日本は何か目指せるものがありますか？ 文楽などの伝統文化の保全、あるいは先端科学の追究（小惑星探査機はやぶさ）などで満足できるでしょうか？

マイルドヤンキーが地方創生を担う

伝統文化や先端技術だけでは、多くの国民が生活していくことは不可能です。今後の日本経済を考えた場合、重要なのは地方の活性化だと思います。

この点で私は事態を楽観しています。カギを握るのが日本の地方エリートの主流派であるヤンキーです。ここで言うヤンキーとは、地元が好きで、小中高時代の友達を大切にし、東京に出ることを考えず、比較的低学歴で、結婚や出産が早いマイルドヤンキーを指します。この人たちは、肉食獣のようにビジネスに意欲的です。その特徴は「動く」ことです。

投資家の藤野英人氏は、ビジネスに意欲的な地方エリートを「ヤンキーの虎」と名づけ、その特徴がよく「動く」ことにあると指摘します。

〈「アベノミクスの恩恵を受けたのは、株や不動産を持つ富裕層だけだ」「好景気になったと言われているが、給料が全く上がらない」などという否定的な声が上がっています。／私は、そんなことを言う人たちに対して、いつも思うことがあります。不満があるのなら、彼らも株を買えば良かったのです。（中略）／問題は、アベノミクスがいいか悪いかではなく、「動く人」と「動かない人」がいるということです。／「動く人」とは、新しいことに積極的にチャレンジし、成果を出す人です。株を買って儲けたり、事業を始めたりと、アクティブに動きます。FacebookなどのSNSを通じて友達を増やすし、恋もするし、趣味も楽しむし、仕事でもプライベートでもどんどん動きます。／一方、「動かない人」というのは、根本的にネガティブに物事を捉えます。「日本はこれからダメになる」と、将来を悲観的に考えています。だから、お金を使うのが嫌いで、すぐに貯金をします。（中略）／残念ながら、この「動かない人」は、日本人の平均的な姿です。「動かない人」がすごく多いから、日本は暗いのです。／日本人のうち約8割が「動かない人」「受動的な人」です。彼らは、消費税が上がれば支出を控えます。投資をしようなどとは全く考えません。だから、消費増税の後、個人消費は一気に冷え込み、増税から約1年が経つ今でも落ち込んだままなのです。〉（『ヤンキーの虎――新・ジモト経済の支配者たち』165〜166頁）

マルクスの『資本論』によれば、資本は運動を繰り返して自己増殖します。「ヤンキーの虎」は、地方において資本の運動を体現した存在なのです。一人の人間は、自分の生活に必要とする以上の商品やサービスを生産することができます。こういった価値の源泉は労働です。日本人がきちんと働き続けるならば、生き残っていくことは十分できるので、将来を悲観するには及ばないと思います。日本は大上段に国家目標を掲げるよりも、普通に労働する人が、名誉と尊厳を保って生活ができるような仕組みを維持するべきです。その場合、重要なのは地方での働く環境を整備することです。

参考文献

藤野英人
ヤンキーの虎
――新・ジモト経済の支配者たち

ヤンキーの虎
――新・ジモト経済の支配者たち
藤野英人
東洋経済新報社

地方土着の起業家＝ヤンキーの虎。著者は地方創生の立役者になるのは、儲けられると思ったらすぐに始める瞬発力と柔軟さを併せ持つ彼らだと説く。'16年刊

第038回

結婚を促進するために労働法を改正すべきでは?

相談者●恋愛否定論者(ペンネーム)会社員 59歳 男性

現状、非正規社員は結婚するのが容易ではないとされています。また、母子家庭は教育費の捻出が難しく子供が非正規社員になる確率が高いそうです。そう考えると、労働法改正、教育費無償化など上からの改革をしなくては、日本の婚姻率および出生率が上がらないように感じています。それとも市場(婚活市場)に任せておくべきなのでしょうか? 一方で上からの改革をすれば税金が上がります。どうなのでしょうか。

社会改善は家族を通じ漸進的になされる

コロナ禍でグローバリゼーションに歯止めがかかり、国家機能が強まっています。そのような状況で家族の重要性が見直されています。ヨラム・ハゾニーは、イスラエルの哲学者・政治学者で、現在、英米の保守思想に大きな影響を与えています。ハゾニーの思想の特徴はヘブライ語聖書（旧約聖書）の国家観、家族観を現代に甦らせようとしていることです。

人類には、このような個別性を重視する多元主義と単一の原理で世界が統治されるという普遍主義の争いが常にあります。ソ連崩壊後はグローバリゼーションという普遍主義が世界を席巻しましたが、それは最強帝国（米国）による世界の一極支配という夢想で、紛争をもたらすと考えます。ハゾニーが普遍主義的なリベラリズムに対置するのが、家族を基礎に部族、民族へと発展していく特定の文化を基礎とした政治共同体です。

〈結婚と家族は、親や先祖から受け継いだ遺産を別の世代に引き継ぐために築かれる。この遺産には、生命そのものと、おそらくはいくばくかの財産が含まれているが、生き方、信仰や言語、技術や習慣、そして各家庭に固有でほかの家庭にはない理想や価値観の理解なども含まれている。男と女は協力して、両親や祖父母から受け継いだものを結びつけ、それぞれが受け取った最高のものを組み合わせた遺産を、彼らの子どものために編み出し、可能であればそれを改善する。〉（『ナショナリズムの美徳』108〜109頁）

家族を通じて、歴史は継承されます。社会の改善も家族に漸進的になされるのです。ハゾニーは社会に混乱をもたらす革命を嫌います。

日本の場合、確かにあなたが指摘するように、経済的理由で結婚したくても結婚できない人が増えています。非正規労働者だといくら経験を積んでも一般事務では年収300万円程度で、退職金もありません。夫婦共働きでも子供をつくると育児に時間が割かれるので、収入が減ります。

義務教育は無償で高校教育も事実上無償化されていますが、学校の勉強だけでは授業についていくことができないので学習塾代が必要になります。また、学校行事、お稽古事などにもお金がかかります。さらに大学に進学することになれば、国公立大学でも入学金と4年間の授業料で250万円、私立大学ならば500万円以上が必要になります。非正規労働者ですと、これだけの教育費を負担することができません。そのため、生活を切り詰めて子供をつくるという選択に躊躇する人が増えています。

また、結婚に関しても、女性は相手の男性の収入が350万円以上あることを望む傾向が強いようです。そうなると非正規の男性はなかなかパートナーを見つけることができません。最低賃金を引き上げることが必要ですが、そのためには経済を成長させなくてはなりません。ただ、その見通しがコロナ禍ではなかなか立たなくなりました。

参考文献

ナショナリズムの美徳
ヨラム・ハゾニー（庭田よう子　訳）
東洋経済新報社

トランプ政権の外交基盤となり、アメリカ保守主義の再編や欧州ポピュリズムに大きな影響を与えた話題の書。真のナショナリズムの価値観とは？　'21年刊

第039回

日本の賃金はなぜ30年間も上がらないのか？

相談者●賃労働者（ペンネーム）会社員 58歳 男性

河野太郎デジタル担当大臣は東欧に留学していたそうで、共産主義では豊かになれないと経験談を話されていましたが、それでは逆に資本主義である日本の平均賃金が30年間上がらない理由はなぜなのかわかりません。インフレが進んでもそれに見合った賃上げが進まない。先進国のなかで日本のみが貧しくなるのはなぜでしょうか？

新自由主義的な構造改革が最大の要因です

過去30年間、労働者の賃金が上がらない理由については、'90年代後半から日本政府が取った新自由主義的な構造改革が最大の要因です。以下の立命館大学・松尾匡教授の見方が正確だと思います。

〈1997年の消費税引き上げをきっかけとして、日本は本格的なデフレ不況に突入し、完全失業率が未踏の5％台の時代に入ります。日本はもう成長しないとか財政が足りないとかさんざん煽った中に、職を失った人や就職できない大量の若者が放り出されたのです。（中略）くだんの「問題意識」に基づいて既得権を攻撃するのなら、そんなうるさいことを言わない新自由主義者にやってもらったほうがいい。そもそも不況でも雇用が守られた大きな正社員労働組合は彼らの目から見たら「既得権」層と映っていますから、しがらみがない分徹底的にやってくれるということになります。だからたくさんの人たちが、「自民党をぶっ壊す」と言った小泉純一郎さんの「改革」や、公務員を既得権者として攻撃した橋下徹さんの「改革」に熱狂したのです〉（『左翼の逆襲』8頁）

その後の民主党政権も経済的には新自由主義路線を継承しました。アベノミクスも新自由主義路線を若干、手直ししたにすぎません。

岸田文雄首相は、新自由主義と訣別し、成長と分配の双方を追求する「新しい資本主義」を主張していますが、成長を第一義の課題としている以上、新自由主義的な規制緩和、弱肉強食路線から訣別することはできないと思います。

松尾匡教授は、労働者階級を重視する構造に日本経済を転換すべきであると主張しますが、私は非現実的と考えます。経済のグローバル化の中で、資本は労働力商品の値段（賃金）が安いところに移転していきます。また、東西冷戦時代に資本主義国の政府は社会主義革命が起きることを阻止するため経済過程に介入し、資本の利潤の一部を労働者の賃金に回させたり、雇用政策や福祉に回すことにしました。しかし、激しい競争に追われる日本の企業には、労働者に「恩恵」を与える余裕がなくなってしまっているのです。

今後も日本が資本主義体制のもとで生き残っていくことを考えるならば、取り得る経済政策は2つです。一つは、イノベーションを生み出すことです。それによって特別剰余価値を獲得するのです。もう一つは、中小企業の生産性を向上することです。日本の中小企業はマネージメントや会計、マーケティングが時代に合致していないために、なかなか生産性が上がりません。今後、AI（人工知能）の普及とともに大企業の人材が転職を余儀なくされます。こういう人たちが中小企業で働くことで、無理をせずとも生産性を向上させることができます。賃上げのためには緩やかであっても経済成長が必要になります。中小企業の力を強化するボトムアップ型の経済政策を政府が取ることが重要です。

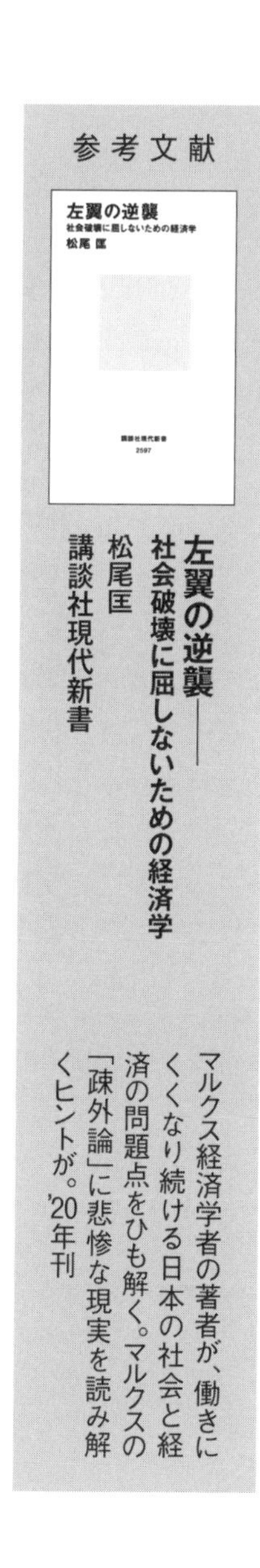

第040回

日本のリベラル政党に未来はあるか？

相談者● 一人のジジイ（ペンネーム） 会社員 53歳 男性

私は立憲民主党を一貫して支持して参りました。しかし、'21年の衆院選で共産党と共闘（枝野氏はこの言葉を使いませんが）したことで完全に支持政党を失いました。もはや、労働者のための中道左派政党は潰え、共産主義に迎合する輩しかいません。確かにアメリカでも共和党内に極右と中道が混在し、民主党にも極左が混じっています。しかし、共産主義に理解を示す政治家はいません。佐藤さんはまだ、日本のリベラル政党に未来はあるとお考えでしょうか？　お考えをご教授いただけましたら幸いです。

経済政策を展開しない限り未来はない

日本の立憲民主党に関しては、未来がないと思っています。この党の政治面の主張はとりあえず脇に置いておいて、国民にとって重要なのは経済です。例えば経済アナリストの森永卓郎氏は、今後、年金は夫婦あたり年間13万円まで下がると予測しています。

〈老後に備えるために、最も分かりやすく、金融庁の報告書でも推奨された方法は、65歳の時点で老後生活を守るための十分な貯蓄を持っておくことだ。ここでは、２人以上世帯の平均消費支出額28万円を基準に考えよう。現役世代の平均的な消費額を老後も続けることができれば、それは豊かな老後と考えてよいからだ。／月額消費が28万円、年金月額が13万円だとすると、月の赤字は15万円だ。そして、１０５歳まで生き残ることを前提にすると、老後の期間は40年になる。それだけの期間の資金を準備しておけば、99％は大丈夫ということになる。／そこで計算をすると、不足資金の総額は７２００万円になる。65歳の時点で７２００万円の金融資産を持っていれば、とりあえず老後は安心となる。〉（『長生き地獄――資産尽き、狂ったマネープランへの処方箋』34頁）

65歳までに７２００万円の金融資産を持つことは、富裕層の国民以外には不可能です。平均収入の国民が安心して生活できるシナリオを提示するのがリベラル政党の責務と思います。しかし、無料のスープはありません。誰かが負担をしなくてはなりません。

そこで理念型としては２つになります。第一がアメリカ型のモデルです。税金や公的保険料の負担は少ないですが、老後の生活に関しては基本的に自分で賄わなければなりません。貯金も必要になりますし、民間の年金保険や健康保険に多額の保険料をかけて加入しなくてはなりません。こういう社会では格差が拡大します。億万長者とともに貧困層が生まれます。それは自己責任だから仕方ないと割り切るのがアメリカ型社会です。低負担、低福祉モデルと特徴づけることができます。

第二が北欧型です。税金は非常に高いです。しかし、教育、医療、老後の介護などは公的サービスで賄ってくれるので、国民の負担はほとんどありません。高負担・高福祉のモデルです。

日本はこれまで低負担・中福祉のモデルが維持されてきました。医療に関しては北欧並みの福祉水準が維持されています。しかし、それ以外は基本的に自助努力で行うというのが日本モデルでした。この前提には企業が、北欧では政府が行う機能を「福利厚生」という名目で果たしていたからです。しかし、非正規社員は「福利厚生」の恩恵にあずかることができません。日本でも非正規雇用が拡大したことによって、企業のセーフティネットが使えない人が増えました。これらの人々をターゲットとする経済政策をわかりやすく展開しない限り、日本のリベラル政党に未来はないと思います。

参考文献

長生き地獄
資産尽き、狂ったマネープランへの処方箋
森永卓郎
角川新書

長生き地獄——資産尽き、狂ったマネープランへの処方箋
森永卓郎
角川新書

30年後には夫婦2人の年金は月額13万円に——生活に不足する分を貯蓄で賄うならどれだけ必要か？「長生き地獄」を避けるための処方箋を提示。'22年刊

第041回

なぜ日本共産党は党首公選を拒否するのか?

相談者● 皮肉屋(ペンネーム) 会社員 60歳 男性

日本共産党が党首公選制を拒否しています。党首選は国民に共産党の考え方を知らせるよい機会なので反対する理由はないと思います。そもそも、現在の志位和夫委員長は、22年間もその座に君臨しています。どう考えても長すぎます。なぜ、共産党は党内部の議論について秘密主義をとるのかもよくわかりませんし、公選制の導入を求めた党員が除名される理由もわかりません。佐藤さんの見解をお願いします。

日本共産党は「普通の政党」ではありません

一言でいうと日本共産党が「普通の政党」ではないからです。

日本共産党は、党首公選を行わないのは分派が生じるからと主張します。この分派の禁止という発想に特徴があります。同党は'23年2月6日、党首公選制導入を求めた元党職員の松竹伸幸氏について「重大な規律違反」があったとして除名処分にしたと発表しました。「重大な規律違反」とは分派活動のことです。同党が分派活動を除名理由としていることに対して、松竹氏は「こじつけにすぎない」と抗議しています。

筆者は日本共産党機関紙『しんぶん赤旗』に掲載された松竹氏に対する除名理由と批判を注意深く読みましたが、まったく説得力を感じませんでした。日本共産党が実質的に問題視しているのは'23年1月に松竹氏が上梓した『シン・日本共産党宣言　ヒラ党員が党首公選を求め立候補する理由』（文春新書）の内容です。興味深いのは、同党が「党内に派閥・分派はつくらない」（日本共産党規約第三条）と規定する〝民主集中制〟の実態についてです。

〈政策委員会で仕事をしているとき、本部の建て替えがあって、建て替え後にそれぞれの部屋に何を置いていいかが発表された。火事の危険を避けるため、発熱する器具は置けないとされ、それまでは部屋にあった冷蔵庫も撤去されることになったのだ。ところが、新しい建物で仕事を開始してみると、冷蔵庫を置いている部屋もある。そこで私は、建て替えの仕事に責任のある幹部のところを訪ね、「あの部局に冷蔵庫があるのだから、政策委員会にも置かせてほしい」と頼んだ。そうすると、その幹部は、「なぜあの部局にあることを知っているのだ。他の部局と連絡をとることは分派につながる行為だ」と私を批判したのである。（中略）戦前の共産党は、特高警察の拷問などで他の党員の名前などを自白したら芋づる式に検挙されることになるので、できるだけ他の党員のことを仲間にも知らせないようにした過去があ

る。〉（『シン・日本共産党宣言』71～72頁）

同党はいまだにコミンテルン（共産主義インターナショナル＝国際共産党）日本支部時代の組織原則を維持しているのです。自分が所属する支部以外の党員への働きかけができない実態について、松竹氏はこう述べています。

〈ヒラの党員である私は、自分の所属している支部の党員にしか推薦をお願いするための働きかけをすることができない。それが規約の定めなのである。私はある職場の支部に属しているが、そこには十数名の党員しかいないから、推薦者になってくれる人がいるとしても、せいぜい一〇名くらいが限度なのだ。（中略）一般の人には理解し難いだろうけれど、私が隣の職場、地域の支部の会議に出かけて行って、そこで推薦をお願いする行動をとれば、何らかの処分が下されることになる。〉（同70頁）

松竹氏の著書から日本共産党の実態が世に知れてとてもよかったです。

参考文献

シン・日本共産党宣言
ヒラ党員が党首公選を求め立候補する理由
松竹伸幸
文春新書

半世紀にわたって共産党員として活動した著者が明かす同党の実態とは？　排除された著者が内部から安保や自衛隊、憲法論も深掘りした一冊。'23年刊

第042回

北朝鮮のミサイルに対する日本人の関心が低すぎる

相談者● 防人(ペンネーム) 会社員 55歳 男性

北朝鮮がミサイルを何発も発射しています。'21年には現行のミサイル防衛システムでは迎撃困難とされる極超音速ミサイルの発射実験も行いました。それにもかかわらず、コロナ、コロナで北朝鮮の脅威について日本人が関心を失っているようでなりません。防衛省はレールガンの開発をこれから始めると言われていますが、現実的に日本が北朝鮮のミサイル発射のリスクから自国領土を守ることは可能なのでしょうか?

脅威は意志と能力の掛け算で判定される

結論から述べると、北朝鮮の狙いは米国を対話に引き出すことなので、日本に対する脅威は現時点では限定的です。トランプ政権時代に米国と北朝鮮の関係は小康状態を得ました。

この点について、神保謙氏（慶應義塾大学総合政策学部教授）は、こう指摘します。

〈2018年に突如として展開された北朝鮮の外交攻勢によって、歴史的な米朝首脳会談が実現し、北朝鮮の核実験・中長射程のミサイル実験はモラトリアムの状況がもたらされた。日本政府はトランプ政権に対し、拙速な非核化交渉を戒めたとも、一方で日本独自の対北朝鮮外交を模索したともいわれている。ただ実際には「朝鮮半島の非核化」プロセスは進捗がみられず、北朝鮮に対する安全の保証（ママ）のあり方についても米朝間で合意が得られないまま、交渉は早々に膠着を余儀なくされた。〉（『検証　安倍政権　保守とリアリズムの政治』183頁）

北朝鮮は膠着状態を打破するために実験を繰り返しているのです。これまでは短距離ミサイルでしたが、'22年1月30日に中距離弾道ミサイル「火星12号」を発射しました。同年11月には大陸間弾道ミサイルの発射が確認されています。

北朝鮮には「求愛を恫喝で示す」という独自の外交文化があります。金正恩朝鮮労働党総書記は実験を繰り返すことで米国との対話のきっかけが得られると考えているのでしょう。

モスクワから私のもとに届いた情報では、こんな指摘がなされていました。

〈1. 金正恩の計画によれば、2022年、合計すると20回近くのミサイル実験が実施される。ロシアと中国が国連で協力してくれるので、国連レベルでの対北朝鮮制裁はあり得ない。
2. 米国による新しい制裁はあり得るが、それは平壌を刺激して、より過激化させるだけだ。
3. 2022年、金正恩が核計画を再開させる可能性も十分にある。現在これは凍結されているが、短期間で既存の施設と新施設を使って再開が可能だ。もしそうなれば米朝間の緊張は一気に高まるだろう。特に米国が中国とロシアの協力で北朝鮮の核計画再開を阻止できると甘い考えを持ち続けて、建設的なシグナルを北に送らない場合、年後半にシナリオが実現化する。〉

北朝鮮による核実験も視野に入れて対応策を考える必要があります。脅威は、意志と能力の掛け算によって判定されます。米国は日本を破壊できる核兵器を持っていますが、誰も米国の脅威を感じていません。それは米国が日本を攻撃する意志を持っていないからです。北朝鮮に核兵器を放棄させることは、戦争によらない限り不可能です。しかし、核戦争のリスクを冒して戦争するのは無謀です。ならば米国が北朝鮮と交渉して、北朝鮮が米国とその同盟国である日本を攻撃する意志をなくさせることが重要です。トランプ前米大統領のように金正恩氏との直接交渉を米国は行うべきと思います。

参考文献

検証 安倍政権
保守とリアリズムの政治
アジア・パシフィック・イニシアティブ
文春新書

7年8か月に及ぶ長期政権で何が起きていたのか？「福島原発事故10年検証委員会」など話題のレポートを発表し続ける独立系シンクタンクが内幕を詳述。'22年刊

生き抜くための読書術

第三章 コロナと貧困編

第043回

コロナ後の世界はどう変わるのか?

相談者●タイチ(ペンネーム) 会社員 40歳 男性

世界各地でコロナが広まり、多数の死者が出ました。コロナによって世界が変わることから、アフターコロナについて盛んに議論され、ニューノーマルという新しい価値観ができました。リモートワークが当たり前になり、会社員も成果だけで評価される時代に変わると言われましたが、どうでしょうか? 佐藤さんがアフターコロナ、ニューノーマルについてどのように考えているのか教えてもらいたいです。

生き方の「質」に関心を向ける人が増える

危機には2つの種類があります。第1は、英語でいうリスク(risk)で予見可能な危険や害悪を与える事象を指します。第2はクライシス(crisis)で予見が難しく、解決できないと国家や民族が滅亡するような死活的問題を指します。

'20年から猛威を振るった新型コロナウイルスによる危機がリスクの枠を超えていることは間違いありません。'19年12月、中国の武漢でウイルス性の新型肺炎が発生したときに、それがパンデミックになると予想した専門家はほとんどいませんでした。ただし、これがクライシスかというと、そうではありません。コロナ禍もいつかは去ります。その後も大多数の日本人は生き残ります。当初からコロナ禍の危機は、リスク以上、クライシス未満であると私は認識していました。

アフターコロナ、ニューノーマルについては、コロナ禍がどれくらい続くかによって異なります。もっとも、リモートワークや時差出勤、オンライン学習などは、まだまだ広がっていくでしょう。

仮に、再び新型コロナによる感染拡大を防ぐため1年以上の外出自粛が行われた場合、社会と文化が変容する可能性があります。いつ終わるかわからない外出制限が続く社会を小説家アルベール・カミュはこう描いていました。

〈大部分の人々は、たとい宗教上の務めを完全に捨て去っていないまでも、あるいはそれをはなはだしく背徳的な個人生活に全く調子を合わせたようなものにしてしまっていないまでも、通常の宗教的な務めをまるで不合理な迷信に置き換えてしまっていた。彼らはミサに出かけるよりも、好んで災厄よけのメダルや聖ロックのお守りを身につけていたのである。

その例として、市民たちが、予言というものをやたらに愛用したことをあげることができる。

春には、実際、人々は今か今かと病の終息を待っていながら、しかも病疫の持続期間についてはっきりしたことを人に求めようと思う者などはなかったのであるが、それはどうせいつまでも続くようなことはあるまいとみんなが確信していたからであった。しかし、日がたつにつれて、人々はこの不幸が実際終りを告げることはないのではあるまいかと心配しはじめ、そしてそれと同時に、病疫の終息ということが、あらゆる希望の対象となったのである。〉(『ペスト』326頁)

外出できない状況にあると、人間の関心が内面に向かっていきます。また、新型コロナに感染しても発症しない人もいれば、重症化し、亡くなる人もいます。こういう状況下では、「本当の幸せとは何か」というような人間の内面に対する関心が強まります。宗教や瞑想などに関心を持つ人が増えてきます。大量消費、観光、外食よりも、生き方の「質」に関心を向ける人が増えてくると思います。

参考文献

ペスト
アルベール・カミュ(宮崎嶺雄 訳)
新潮文庫

ペストの発生により外部と遮断され、孤立状態のなか「悪」と闘う市民たちを描いた長編小説。対ナチス闘争での体験を寓意的に書き込んで共感を呼んだ。'69年刊

第044回

新型コロナは黄色人主体国家が仕掛けた戦争か？

相談者●ひろぴ（ペンネーム）無職 59歳 男性

新型コロナウイルス感染についてです。コロナにも、コウモリ由来型と欧米で猛威をふるっている型があるという研究論文を読み、本来は「率」を考えるべきでしょうが、母数が不明な段階では、白人主体国家と黄色人主体国家の死亡者数の大きな差から、黄色人主体国家が白人主体国家に戦争を仕掛けたのではと感じました。コロナ禍が第三次世界大戦と30年後に定義される可能性はあるでしょうか。

21世紀に黄禍論が存在するのは嘆かわしい

新型コロナウイルスによる肺炎が、黄色人主体国家が白人主体国家に仕掛けた第三次世界大戦だったと30年後に定義される可能性は、皆無です。

この感染症には、人種に関係なく、人ならば皆、罹る可能性があるからです。当初、新型肺炎に対する治療薬はなかったので、対症療法で感染者の免疫力に頼るしか方法がありませんでした。対症療法が行えれば、死亡率をある程度抑えることができました。しかし、イタリア北部で生じたように医療崩壊が起きると、死亡率が10％を超えてきます。検査があまりなされず、統計も整備されていないサハラ砂漠以南のアフリカでは、イタリア北部や中国の武漢市よりもはるかに死亡率が高い状態になっていたでしょう。死亡率の高低は、人種に起因するものではありません。医療崩壊が起きているかどうかです。

ただし、不安心理のなかでどの国でも人種主義的発想が出てきます。中国共産党中央機関紙の「人民日報」に掲載された、以下の論評が興味深いです。

〈新型コロナウイルスによる肺炎が発生して以来、国際社会では団結・協力し、共に困難を克服するというメインストリームの声が日増しに高まっている。だが、一部メディアからは耳障りな声も度々上がっている。米紙ウォール・ストリート・ジャーナル（ＷＳＪ）がその一例だ。同紙は先般掲載した論説で、新型コロナウイルスによる肺炎と闘う中国の政府と国民の努力を中傷する姿勢を示した。編集者は人種差別的色彩を明らかに帯びた見出し「中国は真の『アジアの病人』」までつけた。（中略）

「大手メディアがこのような考えを示すことで、世界にさらに多くの恐れと焦り、そして中国人その他アジア人に対する一層の敵意を引き起こしうる。これは極めて有害で間違ったことだ」。米カリフォルニア大学バークレー校のキャサリン教授のこの言葉は、同紙の行いの真の危険性を的確に指摘している。感染症に対しては、人種も国境も関係なく世界保健機関（ＷＨＯ）の呼びかけるように団結して、共に戦うべきだ。人種差別を煽り、中国を侮辱する言論をまき散らすのは、感染症との闘いに貢献している人々を傷つけるだけであり、国際社会にパニックをもたらし、共同の努力を破壊するだけだ。〉（『緊急出版　手を携えて新型肺炎と闘う』１３２〜１３３頁）

この論評が指摘するとおりだと思います。21世紀になっても、米国で黄色人種が世界に禍いをもたらすという黄禍論が存在するのは、実に嘆かわしいことです。人種間戦争などという妄想にとらわれるのではなく、今は人種や民族を超えて、新型コロナウイルスとの闘いに勝利することが人類共通の課題です。欧米諸国とアジア諸国がいがみ合っていても誰も得をしません。目に見えない敵を克服するために、世界のすべての人の英知を結集することが重要です。こういうときに人種的憎悪を煽ることは、厳に慎むべきです。

参考文献

緊急出版　手を携えて新型肺炎と闘う
人民日報国際部・日中交流研究所
日本僑報社

中国国内で政府と国民はいかに新型肺炎との闘いに勝利したか。武漢で闘う人々の最新の記録などから、世界の人々のための戦「疫」を明らかに。'20年刊

第045回

なぜ日本で醜いマスクの買い占めが起こったのか？

相談者●きよ（ペンネーム）事務員 36歳 女性

新型コロナが広がってから、私の家の近くのドラッグストアに毎朝行列ができてました。見ていたら、毎日のように同じ人が並んでいました。おそらく転売を目的とした人でしょう。高齢の男性もいました。店員に早くマスクを出すようにと怒鳴ったり、シャッターを勝手にあけて店内に入ろうとする人もいると聞きました。日本でこんな醜い買い占めが行われていることが残念でなりません。当時、マスクが十分にあれば、こんなことは起こらなかったのかもしれませんが、自分のことしか考えていない人が多いことを知ったのが、衝撃でした。なぜ、日本人はこんなふうになってしまったのでしょうか？

私は行列を見て旧ソ連の記憶が甦りました

資本主義社会においては、基本的に行列は起きません。それは市場による調整メカニズムが働くからです。標準的な経済学の教科書から、市場メカニズムについて説明した箇所を見てみましょう。

〈需要より供給の大きい財の市場においてはその財の価格が下落し、供給より需要の大きい場合は買手が不利になり買手間の競争、売手のせり上げなどにより価格が上昇する。価格の下落は企業の生産量の縮小を通じて供給を減少せしめ、また通常は消費者の需要を増加せしめるから、価格下落の原因であった需要にたいする供給の超過を修正する。価格の上昇は逆に需要の減少、供給の増大を通じて同様に需給の不一致を調整する。さらに、このような財市場における調整は生産量の変化を通じて生産需要市場における需要を変化させ、ふたたび生産要素市場の調整をひきおこす。〉（『近代経済学［新版］』62頁）

市場メカニズムが働かない国では、需要と供給は行列によって調整されます。私は日本の外交官として旧ソ連に住んだことがあります。その当時のモスクワでトイレットペーパーは、1年に2回しか売り出されませんでした。ソ連では、すべての商品の価格が国家によって定められています。転売して儲けると「投機行為罪」で逮捕されました。2〜3回逮捕されるとシベリアのラーゲリ（強制労働収容所）に送られます。ですから、そういうリスクを冒す人はほとんどいませんでした。だから、欲しい商品があると、朝早くから行列に2〜3時間並ぶことが普通でした。トイレットペーパーの場合、購入は1人10個に制限されていたので、会社を休んで行列に並ぶ夫婦も多かったです。ドラッグストアの行列を見て、ソ連時代の記憶が甦ってきました。

日本のドラッグストアが資本主義の需要供給原理どおりにマスクを売れば、行列はなくなります。具体的には、需要と供給が一致するまで価格を引き上げるのです。例えば、50枚入りのマスクが1万円になれば、買うのをあきらめる人が増えると思います。'20年3月までは、マスクの転売は合法でしたから、行列に並んでマスクを購入して、インターネット上で儲けた転売ヤーも少なからずいたと思います。もっともネット上でのカネの流れは追跡可能なので、税務当局はこういう動きを厳しくチェックしています。「儲かった」と思って、確定申告をしないと、延滞税と重加算税を課されて儲け以上の税金を取られることになります。

その後、これまでマスクを作っていなかった企業も参入し、国産マスクも市場に出回るようになりました。その結果、市場原理が働き、以前は50枚で500〜600円だったマスクの価格が底打ちして上昇に転じています。需要と供給の均衡点が定まり、マスクのための行列もすぐになくなりました。

参考文献

近代経済学
経済分析の基礎理論〔新版〕
新開陽一／新飯田宏／根岸隆
有斐閣

経済理論の入門から最新理論まで、エッセンスと現実の事象を結びつけて解説。経済原論の参考書のなかで最も実績のある名著として知られる一冊。'87年刊

第046回

キリスト教では疫病をどう解釈するのか?

相談者●れもん（ペンネーム）主婦 68歳 女性

私はクリスチャンではありませんが、コロナ禍にたまたまパソコンで動画を見ていてオンライン礼拝を見つけました。いろんな教会でコロナ感染を防ぐためにオンラインで礼拝を配信しているようでした。キリスト教ではこういった疫病をどのように解釈しているのでしょうか？　私には特に信仰する宗教はありませんが、その取り組みに関心を持ったので教えていただけないでしょうか。

コロナ禍は自然悪と道徳悪が複合したもの

疫病の解釈は、キリスト教神学にとって重要な問題です。こういうことを専門に扱う学問分野が神義論です。この世にはさまざまな悪があります。にもかかわらず、神は正しいということを証明するのが神義論の課題です。悪に対する責任が神にはないと弁護するので、弁神論という訳語をあてることもあります。

　神義論では、悪を3つの分野に分けて考えます。悪の本質や起源について考察する形而上的悪、天災や地変、疫病がもたらす自然悪、そして戦争や貧困など人間が起こす道徳悪の3分野です。神学的に解釈するとコロナ禍は、自然悪と道徳悪が複合したものです。もちろん、神はいないという考えに立てば、神義論という問題設定自体が存在しなくなります。そうなると、悪の問題が見えにくくなると私は考えます。キリスト教では、人間には例外なく罪が内在していると考えます。罪が形をとると悪になります。本人が自覚していなくても人間は悪を行うという前提に立って危機対応をすることが重要です。

　ドイツのカトリック神学者クラウス・フォン・シュトッシュ（パーダーボルン大学教授）は、自然悪と道徳悪の関係についてこう述べます。

〈神義論的な問題における最も深刻で重要な問題は道徳悪ではありません。比較的容易に理解できることですが、道徳悪というのは神に由来するのではなく、人間にその責任を求めることが可能だからです。それに対して近代のキリスト教信仰が直面した「激震」として、この世の苦しみについての最大の疑問を投げかけたのは、実はアウシュヴィッツではなく、一七五五年のリスボン大震災のような自然災害でした。自然悪が直接、神に由来するものならば、なぜ神は人間が過ちを犯すことをなすがままにさせておくのかという問いとは比較にならないほど根本的に、本当に神は善であるのかと疑うことへとつながるのです。〉（『神がい

るなら、なぜ悪があるのか』88頁）

新型コロナ自体は自然悪の問題です。しかし、それに対する不作為や間違った政策、あるいは一人ひとりの立ち居振る舞いに関する問題は、道徳悪に属します。私は元行政官（外務官僚）だったので、国家の論理が皮膚感覚でわかります。新型コロナ対策の過程で国家機能が強まり、司法権と立法権に対して行政権が優位になっています。行政府の自粛要請に応じて、危機を克服するというアプローチが現状では最も合理的であることは事実です。しかし、国民の自由が侵害される危険性があります。

外務官僚時代に官邸と緊密に連携しながら仕事をした経験があるので、危機に直面し、官邸の政治家と官僚が国家と国民を守るために全力で働いていることはわかります。しかし、真面目な政治家や官僚ほど、自らが抱える悪が見えなくなります。民主主義的手続きを無視して、彼らが独善に走らないように警告することがキリスト教徒の重要な責任と考えます。

参考文献

神がいるなら、なぜ悪があるのか
現代の神義論
クラウス・フォン・シュトッシュ
（加納和寛 訳）
関西学院大学出版会

聖書には慈しみと愛に満ちた全能の神が描かれるのに、この世はなぜ〝悪〟と思えることが存在するのか？ 愛・善・自由意志をカギに、この問題に迫った一冊。'18年刊

第047回

自殺者の増加は経済的なパンデミックではないか？

相談者●天牛（ペンネーム）会社員 57歳 男性

自殺者の数が急激に増えています。1か月の自殺者はコロナ禍での死者に匹敵するほどの数のようです。ここ10年間、自殺者の数は減り続けていたのに、'20年は増加したようです。これはコロナの影響と考えざるをえません。男に比べて女性の自殺者が増えているのは、男よりも圧倒的に非正規で働く女性が多いことも理由ではないでしょうか？ 職を奪われて、先行きが見通せなくなり、自ら人生を閉じてしまう人が増えているのではないでしょうか？ これは経済的なパンデミックです。自粛などで経済活動を停止すると、もっと自殺が増えると思います。

悲しみを書き出す行為が癒やしになります

自殺者数の増加は本当に深刻な問題です。コロナ禍にはこのように報道されていました。〈年間の自殺者数は過去10年減少を続けているが、今年（'20年）は前年同月比で7月以降5

か月連続の増加となった。／厚生労働省は「重く受け止めている」としており、コロナ禍の影響が出ている可能性があるとみて原因分析を進める。〉（'20年12月1日『日本経済新聞』）

新聞記事では「コロナ禍の影響が出ている可能性がある」という慎重な表現でしたが、あなたが指摘されるように減り続けていた自殺者が増加に転じたので、大きな与件の変化はコロナ感染症の拡大だったと思います。もっとも、コロナ禍による収入減少や失業が直ちに自殺に繋がるわけではありません。チェコスロバキアの初代大統領だったトマーシュ・ガリッグ・マサリクは、自殺研究でアカデミズムにデビューしました。「現代文明の社会的大量現象としての自殺」という論文で、比較的豊かなプロテスタント教徒のほうが、経済的な劣位にあるカトリック教徒より自殺者が多いという統計結果を分析して、経済状態と自殺には直接的関係がないとマサリクは考えました。

私はコロナ禍による収入減少や失業によって、人生の意味がわからなくなり、また先行きに不安を感じることが自殺の引き金になったと考えます。行政が、コロナ禍で失業した人、収入が著しく減少した人には、もっと早く現金を給付するなどの支援策を行う必要がありました。同時に行政やＮＰＯ団体、宗教団体などが積極的に不安を覚えている人たちの心のケアに従事できるよう体制を整える必要があったと考えます。

作家でも、心の問題に真剣に取り組んでいる人の作品から多くを学ぶことができます。例えば、五木寛之氏です。五木氏は、悲しいときにそれを紛らわせるべきではないと主張しています。

〈人は悲しいときには、それをはぐらかし、目を逸らせて、違うことでその悲しみをまぎらわそうとする。しかし、それはよくないのではないかと思うのです。

一刻も早くその悲しみを乗り越えて立ち上がっていくためには、その悲しい現実というものをまっすぐに見つめる。そして心の中で、「自分はいま、こういうことで悲しんでいる。何という悲しいことだろう」と独り言も言い、大きなため息もつく。

そのことによって悲しみから本当に立ち上がることができるのではないかと、ふと思ったりするのです。〉(『マイナスの効用——不安の時代を生きる技法』41～42頁)

心の中で「自分はいま、こういうことで悲しんでいる。何という悲しいことだろう」と独り言をいうことも効果がありますが、それをノートに書き出してみるとその行為自体が癒しになります。ぜひ試してみてください。

参考文献

マイナスの効用
——不安の時代を生きる技法
五木寛之
祥伝社新書

コロナ禍の恐怖にさらされるなか、いかにして心の痛みを癒やすべきか？　著者は「悲しみも、ボケも、お世辞も悪いことばかりではない」と主張する。'20年刊

第048回

妻のコロナ対策が異常すぎました

相談者●白い三角定規(ペンネーム) 会社員 43歳 男性

コロナ禍での妻の行動が極端でした。帰宅後の消毒などは異論ありませんでしたが、いつ私が感染するかわからないからと、子供と触れ合うことをすべて禁じられました。遊ぶのも宿題を見るのもNGで、話すときはマスクをして1階と2階に離れないとダメだと言われました。私の服は感染リスクがあるといって洗ってもくれないし、食事もまったく作らず、帰宅後も休日も自室から出るなと言われました。今となっては半分笑い話のような感じになっていますが、当時は妻の考えが怖かったです。「正しく恐れる」ということができない人は非常に怖い気がします。そういう人とはどう接すればよかったでしょうか?

勝者だった人の精神がコロナで壊れつつある

人間の思考は情報によって変化します。緊急事態宣言が発出され、外出の自粛が要請されていたときは、新聞やテレビもコロナ禍に関する情報で溢れていました。誰もが無意識にその影響を受けます。そして、意識しないうちに心が疲れてきます。精神科医の香山リカ先生が興味深いことを述べています。

〈私は（中略）厚労省から委託されて始めた「新型コロナウイルス感染症関連ＳＮＳ心の相談」という事業に、（'20年）三月一五日からかかわっているのです。（中略）私は相談員たちのやり取りをモニタリングしてリアルタイムで助言をするスーパーバイザーを引き受けているのですが、二日に一日の割合で現場に行くので、夜は結構たいへんで……。でも一カ月で約千人の方の「コロナ以降の心の悩み」を実際に目にし、この疫病が体より先に、現代人の、それもこれまで仕事や育児などをむしろバリバリこなしてきた人たち（中略）の精神を破壊しつつある、というのをしみじみと実感しています。

極端な言い方をすれば、これまで精神疾患を抱え、仕事や学業がままならなかった人たちは今回のことでひそかにほっと一息ついて家で休んで自分を取り戻しており、逆に高度資本主義社会の勝者の側だった人たちの心が壊れそうになっているのです。〉（『不条理を生きるチカラ』17～18頁）

あなたの奥さんも「仕事や育児などをむしろバリバリこなしてきた人」なのだと思います。新型コロナウイルスの感染から子供を完璧に守ろうと、過剰な反応をしたのだと思います。奥さんには「反応が過剰だよ」とあなたは言葉を選んで何度か伝えたと思いますが、肯定的な反応はなかったと思います。これは、完璧に対策をしなくてはならないと奥さんが信じ込んでいたからなので、あの時点では仕方がなかったことと割り切るしかありません。

もはや、マスメディアの報道も自粛一辺倒ではなくなりました。この影響が奥さんにも徐々に及んでいるはずです。特に子供さんの学校が始まって以降は、ほかの家の様子が伝わってくるようになったでしょう。それとともに奥さんの対応も緩くなったと思います。心配しなくても、奥さんのあなたに対する極端な姿勢は時間の経過とともに改まります。過去を振り返って「お前の感情は過剰だった」と奥さんを責めないことが重要です。奥さんは、お子さんを感染から防ぐということで頭がいっぱいになってしまい、それ以外のことに気を配る余裕がなくなってしまったのだと思います。

今でも、人混みを避け、手洗いを励行し、感染を防止するように細心の注意を払うことは重要です。感染症から家族を守るということでは、あなたと奥さんの目的は共通しているのですから相互理解は可能です。

参考文献

不条理を生きるチカラ
コロナ禍が気づかせた幻想の社会
佐藤優／香山リカ
ビジネス社

コロナ禍という不条理を残り越えるためにできることとは？　コロナで精神をすり減らした人々をサポートする精神科医と知の巨人が「不条理」を読み解く。'20年刊

第049回

リモートワークで家にいる夫がストレスです

相談者●貝(ペンネーム)パート40歳 女性

リモートワークのせいで夫が自宅で過ごす時間が増えました。夫は自分の時間が増えたはずですが、全然家事を手伝ってくれません。それに対して夫の昼食を作る回数が増えたので、私の仕事は増えました。仕事をしている最中は掃除機をかけにくいし、テレビを見て笑い声を上げるとちくちく言ってきます。ストレスが溜まり続けています。パートに出る日が一番晴れやかです。夫に外で仕事をしてとは言いにくいし、仕事をしていないわけではないので家事を頼むのも難しいです。私だけストレスが溜まっても、コロナだからと我慢するほかないのでしょうか?

あなたが息苦しいときはご主人も息苦しい

リモートワークが増えると家庭内でのストレスが増えるという話をよく聞きます。これは定年後、会社や役所に通わなくなったご主人と奥さんの間で起きる問題とよく似ています。

私は'21年に出した本で、定年後の夫婦関係を円満にするコツについてこう記しました。

〈お互いがお互いの目から離れる時間と場所を確保すること。これが60代以降の夫婦円満の秘訣です。もちろん日ごろのコミュニケーションは必須ですが、同時に適切な距離感があることも大切なのです。／お互いの距離を保つという意味で、もし自営だったり再雇用で70歳まで仕事ができる環境があったりするのなら、続けることが賢明です。リタイアしたとしても、ちょっとしたアルバイトなどをして家から極力離れる。お金のためというより、夫婦が互いに別の時間を持てるようにするためです。（中略）経済的に許されるのであれば、近くにワンルームマンションを借りることをおすすめします。もちろんパートナーの同意を得たうえで、家以外の自分の場所を確保するわけです。昼の間はそこで本を読んだり、趣味のことをしたりする。／子どものころ押し入れに入って自分の世界をつくったのと同じように、自分の隠れ家、秘密基地的な場所をつくるようなもの。ただし、夕食時になったら家に戻って一緒に食事をする。そしてしっかりコミュニケーションを取ることは必要です。〉（『還暦からの人生戦略』55～56頁）

リモートワークの際にも、この方法を応用するといいと思います。あなたには、あなたの家庭内でのスタイルがあります。普段だったら、冷蔵庫の中にある残り物などで昼食を済ませることもできますが、夫がいるとそうもいきません。掃除機だって好きな時間にかけたいし、テレビを見て笑うことも重要な生活の一部です。また、夫に家事分担をお願いしても、これまで家事に慣れていない男性では、かえって仕事が増えてしまう場合もあります。

思い切ってご主人に「外に出て仕事をしたら?」と提案してみたらいいと思います。実はご主人も、家にいる時間が長くなったのでストレスを抱えていると思います。長いこと生活を共にしている夫婦は同じようなことを感じているケースが多いです。あなたが息苦しく感じているときは、ご主人も同じような悩みを抱えていると思います。最近は貸しオフィスもリモートの需要を見込んで増えています。フリーアドレス型の貸しオフィスだと値段もそれほど高くありません。会社が補助を出してくれる場合もあります。

コロナ禍は今後も起こり得ます。あなただけがストレスを抱え続けているような状態が続くと、いつか爆発し、最悪の場合は離婚になります。そういう悲劇を避けるためにも、勇気を持って夫に「外で仕事をしてくれ」と言うべきだと思います。頑張ってください。よい結果が出ることを期待しています。

参考文献

還暦からの人生戦略 最高の人生に仕上げる〝超実践的〟ヒント
佐藤優
青春出版社

人生100年時代に最高のリタイア生活を送るための設計図を、知の巨人が提示。お金、人間関係、教養などを棚卸しして、この先に備えるべきと説く。'21年刊

第050回

ワクチンのデマを振りまく人間はなぜ現れるのか？

相談者●匿名希望 会社員 48歳 女性

「コロナは風邪」という人はまだいいのですが、「ワクチン接種で流産が増える」などと根拠のないデマを流したり、ワクチン接種を妨害するような人たちがいることに怒りを覚えています。ワクチン接種を開始した直後には各地で冷蔵庫の電源がオフになって大量のワクチンが廃棄されました。ワクチン反対派がやったのでは？と疑われました。命を守るために必要な手立てを奪うことは犯罪行為です。マスク反対派もそうです。なぜ、世の中には一定層の過激な思想やデマを振りまく人間が現れるのでしょうか？

高校までの勉強だけで虚偽は識別できる

新型コロナウイルスのワクチン接種に関しては不妊になる、流産するなどさまざまなデマが流れて政府も頭を悩ませていました。

〈河野太郎規制改革担当相は（'21年6月）20日の日本テレビ番組で、新型コロナウイルスのワクチン接種に関し、「ありとあらゆるワクチンが出ると、『打つと不妊になる』という話になるが、全部デマだ」と明言した。その上で「科学的にそういうことはないという説明をきちんとやっていかなければならない」と強調した。〉（'21年6月20日「時事通信」）

もっとも科学的な説明をいくら繰り返しても、そのデマを信じている人にはあまり影響を与えません。この種の陰謀論をビジネスにしている出版社もあります。内容が荒唐無稽で社会的に悪影響を与えるという理由だけで出版を規制することはできません。インターネット空間では陰謀論を展開した本の内容を、さらに粗雑にしたような情報が流布されています。このような情報に影響されないことが重要です。

さて、あなたは「各地で冷蔵庫の電源がオフになって大量のワクチンが廃棄されました。ワクチン反対派がやったのでは？」とおっしゃいますが、これは器物損壊で犯罪です。ワクチン接種が国家的課題になっている状況で、警察がこの種の犯罪を見逃すはずがありません。反ワクチン派と犯罪を軽々に結びつける発想は危険です。この種の問題に関しては、冷静になって事実に基づいて考え、発言することが重要になります。この点で、私は実業家の堀江貴文氏の姿勢に共感を覚えます。

〈これまでの僕は、自分ひとりで突っ張ってきた。裸の王様を指さして、世の中の不合理を指さして、ひとり「なんでみんなネクタイなんかしてるの⁉」と大声で笑ってきた。それでみんな気づいてくれると思っていた。／でも、そんな態度じゃダメなのだ。（中略）これからの僕は、この国のネガティブな「空気」を変えるため、いままで以上にガンガン働くし、情報発信にも努めていく。シンプルに考え、決断の痛みも正面から引き受けていく。そしてみんなに呼びかけたい。／自分の頭で考えて、自分の一歩を踏み出そう。あなたの一歩が大きなうねりとなって、社会全体を動かしていくのである。〉（『ゼロ』１９１頁）

あなた自身、社会的に発信したいという意欲が強いのだと思います。一人ひとりの国民が正しい情報を発信して世の中の空気を変えていくことは大切です。このときに重要なのが客観性です。高校までの教科書の知識をきちんと踏まえていれば、さまざまな言説のうち、虚偽であるものは容易に識別できるようになります。新聞で最新の情報を追いかけるとともに、高校までの勉強の復習をすることが重要になります。

いずれにせよ、ワクチン反対派が冷蔵庫の電源をオフにしていると思った場合、客観的根拠があるかを一歩立ち止まって考えることが不可欠です。

参考文献

ゼロ
なにもない自分に小さなイチを足していく
堀江貴文
ダイヤモンド社

逮捕され、すべてを失った著者は、なぜ希望を捨てなかったのか？「ゼロ」から再スタートを切り、表舞台に返り咲いた著者の思いが一冊に。'13年刊

第051回

岸田首相のコロナ対策は菅首相よりひどい

相談者● サル以上人間未満(ペンネーム) 会社員 37歳 男性

コロナの感染拡大が加速して'22年前半に前年夏の感染者数を超えてきたのを見て、岸田首相のコロナ対策に疑問を持つようになりました。菅前首相の遅い対策を批判したり、自分は先手を打って対応すると言ってましたが、水際対策には失敗して、3回目のワクチン接種もなかなか進みませんでした。その後は再び感染がぶり返しても放置です。菅前首相のほうがはるかにしっかりコロナ対策をやっていたように感じます。いつまでもコロナに翻弄される日本の舵取りを岸田首相に任せて大丈夫でしょうか?

疫病による分断から抜け出すことが重要

ウイルスには生き残り戦略があります。ウイルスは宿主に寄生しないと生きていけません。ウイルスが強毒性を持っていると宿主を殺してしまいます。ですからウイルスは毒性を減じるほうに進化していきます。

また、ウイルスはできるだけ増殖したいと考えています。ですから感染力が強くなるほうに進化しています。新型コロナウイルスの生き残り戦略としては、人間を殺さない程度に弱毒化し、感染力を強めるというのが最適な選択になります。’21年以降、猛威を振るったオミクロン株はこれまでの新型コロナと比較すると感染力が非常に強いです。ただし、死者の数は多くありません。だからといって気を抜いてはいけません。オミクロン株でも健康状態がひどく悪化し、後遺症が残る可能性があるからです。

感染力の高い変異株に関しては各国政府とも精一杯頑張っていますが、感染拡大を抑えられないというのが現実でした。岸田さんから別の人が首相になっても事態は大きく変わらないと思います。今後も感染者数がピークを迎えては激減するという現象が繰り返されるでしょう。もっと感染力が強い変異株も出てくると思います。こういうことを繰り返すなかで、注意しなくてはならないのは、新型コロナが我々の社会に与える影響です。比較文化史家の竹下節子氏はこう述べます。

〈疫病が、身近な共同体を、自分や大切な人を襲う時、またそれに乗じた脅しの言説が政治や経済の思惑によって生みだされる時、感染対策の名のもとに人のつながりを断つ隔離危機への意識が高まる時、私たちは、過去に疫病という試練を克服してきた人々の歴史を振り返り、何が克服の鍵となったのかを探る必要がある。(中略)

生死に関わる実存的な恐怖によって、自分を取り巻く世界に対する認知・認識の歪みが生まれると、自他を信じることに障害が起きる。他者との関係が、「感染させられる／感染させてしまう」という不信と不安のうちに閉じ込められてしまうのだ。そんな状態を前にした時、私たちが世界をどのように見ればいいかを、「疫病と神」の歴史は示唆してくれる。それは、いま起こっていることを「冷静に、適切な距離を置いて、信頼と共に」見るということだ。〉（『疫病の精神史――ユダヤ・キリスト教の穢れと救い』228頁）

日本社会でも新型コロナによる社会の分断が進みました。私たち一人ひとりが「感染させられる／感染させてしまう」という不信と不安のうちに今なお閉じ込められています。この枠組みから抜け出すことが重要です。

そのためには報道やインターネット空間で伝達される情報から距離を置いて、自分が信頼できると思う専門家が新聞や雑誌に発表した論考を読んで、自分の頭で判断することです。同時に他人の気持ちになって考えることが重要です。

参考文献

疫病の精神史
――ユダヤ・キリスト教の穢れと救い
竹下節子
ちくま新書

ユダヤ教は近代の衛生観念を先取りした宗教。キリスト教は病者に寄り添い、救いを説いた。疫病と対峙してきた人類の歴史と精神の変遷を追った一冊。'21年刊

第052回

子育て世帯への10万円給付は不公平です

相談者● 小日本人（ペンネーム） 会社員 38歳 男性

岸田政権が行った子育て世帯への10万円給付は不公平ではないでしょうか？　コロナで苦しい生活を余儀なくされたのは子供がいる世帯だけではありません。私は両親に支援してもらいながら妻と不妊治療に取り組んでいますが、収入が増えないなか金銭的負担と肉体的負担が（妻に）かかり、くじけそうです。不妊治療は体外受精を行うと年間１００万円単位で出ていきます（一定回数は保険が適用されますが）。子供がいない世帯は給付の対象でない。そう言われると、私と妻は国から無視されているように感じます。半分をクーポンで給付するのに１０００億円近くかけるなら、不妊治療に取り組む家族を救ってください。

子育てに無関心な社会は崩壊します

子育て世帯への10万円給付（5万円現金、5万円クーポンが原則）は所得の再分配政策の一つでした。再分配政策については常に不公平ではないかという意見が、当該政策によって裨益しない人たちから出てきます。しかし、私はこの政策は必要と考えます。コロナ禍において日本の未来を担う子供たちを応援するという政府によるメッセージになったからです。子供がいない家庭が子育てに無関心になってしまうと社会は崩壊します。この点について、カトリック神学を研究する山本芳久氏は、フランシスコ教皇が回勅で新約聖書の「善きサマリア人」のたとえに言及したことに着目してこう述べています。

〈善きサマリア人は、強盗に襲われて死にそうになっている人を見て、はらわたがよじれるほどに心を揺り動かされ、だからこそ助けた。そういう仕方で、この世界で起きている危機的な状況に心を揺り動かされることを通じて無関心から解放されていくというわけです。

先ほども言いましたが、無関心であるというのは、関心を持たれない人が苦しいだけではなく、無関心な人自身が、いわばこの世界を失ってしまっていて苦しい状態でもあるわけです。〉(『危機の神学「無関心というパンデミック」を超えて』266頁)

もっとも、私は10万円相当の臨時特別給付に関して岸田政権の対応に満足しているわけではありません。社会を分断しないという観点から、年収960万円以上の世帯を除外するという制限は設けるべきではありませんでした。公明党が主張するように18歳以下の子供がいる全世帯に給付するべきだったと思います。また現金で配布するとギャンブルに使うことができます。クーポン化で子供に必要な物やサービスに使途が限定されるのは、事務経費がかかっても不可欠です。全額クーポンにしてもいいくらいだと私は考えます。

ちなみに不妊治療に対する国の支援は菅政権時代に大幅に強化され、'22年4月から保険が適用されることになりました。これも公明党の提唱によるものです。

〈('20年12月）15日に閣議決定された最終報告では、不妊治療について、'22年4月から保険適用を実施するとし、それまでの期間は現行の助成制度を拡充します。具体的には来年1月から、夫婦合計で「730万円未満」とされている所得制限を撤廃。「初回30万円、2回目以降は15万円」だった助成額は、2回目以降も30万円とし、助成回数も「生涯で通算6回まで」(妻が40歳以上43歳未満は3回）から、「子ども1人あたり6回まで」(同）に見直します。〉('20年12月20日公明党ホームページ）

財源には限りがあるので、すべての人を満足させることはできません。ただし、客観的に見て、あなたも国の政策によって裨益している部分はあります。私はそれを不公平とは考えません。不妊治療に取り組んでいる人に国が無関心であってはいけないと考えるからです。

参考文献

危機の神学
「無関心というパンデミック」を超えて
若松英輔／山本芳久
文春新書

問いをいかに深めていくかを教えてくれる神学。中世の神学者を研究し続ける著者が、「無関心のパンデミック」が蔓延する現代の生き抜き方を説く。'21年刊

第053回

私は人生に疲れました……

私は人生に疲れました……。仕事では要領の悪さと集中力のなさで周囲から叩かれる日々を送っています。彼女はいますが、いつもダメ出しされてばかりです。自分が人間的に欠陥が多いのは認めます。しかし最近は急に感情が抑えきれなくなり迷惑と知りながら深夜に大声を出したり、自分自身をコントロールできなくなることがあります。こらえ性がない、大人になりきれていないと言われればそうかもしれませんが、この先どうすればいいのかわからない状況です。今までの人間関係、すべてを捨てて遠方へ移住し社会との関わりをできるだけ避けた人生を送ることも考えています。

相談者● 秀和（ペンネーム）会社員 37歳 男性

競争や成績は人間の価値と一切関係がない

競争社会では誰もが疲れ切っています。自分の感情が制御できなくなり、「深夜に大声を出したり」しているということですが、すぐに休みを取ったほうがいいと思います。このままだと適応障害を起こし、大きな事故に繋がる可能性があります。心療内科か精神科の医師の診断を受けるとともに、競争とは違う原理で生きることができると理解する必要があります。

その点で、『里海資本論』への藻谷浩介氏の解説が興味深いです。

〈『里海資本論』を学ぶことは、「金融緩和」に代表されるような怪しい「唯一神」への丸投げをやめ、社会の中での再生・循環・均衡の回復に向けて自分にも何かできることはないかと考える画期となる。元祖『資本論』は、「神の見えざる手」の絶対化を押しとどめ、資本主義社会を是正する大きな原動力となったが、「労働者による自己決定」を新たな「唯一神」と祭り上げるイデオロギーを生むことにもなって、流血の二〇世紀にさらなる状況悪化をもたらした面もあった。しかしこの『里海資本論』は、何か新しい「唯一神」を掲げるのではなく、八百万の神のささやかな力の結集に信を置くものである。

一つ一つは微力な主体の相互作用だけが、均衡を回復する道筋である。そのことを理解していれば、あなたも微力な存在の一つとして、そのプロセスに恐る恐る関与して良い。まさに、新たな唯一神を掲げ押し付けるのではない、「しなやかな二一世紀の資本論」がここにある。〉(『里海資本論 日本社会は「共生の原理」で動く』225頁)

筆者は、一神教徒(プロテスタントのキリスト教徒)なので、「唯一神」が競争を煽っているという見方はしません。また、『資本論』は、資本主義の内在的論理を客観的に解明した書で、労働者による自己決定を称揚しているとは思いません。しかし、藻谷氏の「一つ一つは微力な主体の相互作用だけが、均衡を回復する道筋である」という見解を全面的に支持します。

一人ひとりの人間は、その人が存在するだけでかけがえのない価値があるのです。競争や成績などは、人間の価値とはまったく関係ありません。そのことをあなたが心の底から納得すれば、気が楽になります。その次に重要なのは、自分の力を過小評価しないことです。人間は自分一人が食べていくよりも多くの生産をすることができます。価値の源泉は人間なのです。一人ひとりの力は微力であっても、決して無力ではありません。

今の仕事がきついならば、躊躇せずに新しい職探しをすることです。今度は、お互いが助け合い、成果についてあまり気にしないでよい職場に移れば、あなたはかなり楽になると思います。繰り返しますが、まずゆっくり休んで、そのあとで新しい仕事を探すことが現実的だと思います。

参考文献

里海資本論
日本社会は「共生の原理」で動く
井上恭介／NHK「里海」取材班
角川新書

「里海」とは、人が手を加えることで海を豊かにするメカニズム。『里山資本主義』という言葉を生み出した著者が、瀬戸内海に見た新たなる可能性とは？ '15年刊

第054回

なぜ人はブラック企業に洗脳されるのか？

相談者●山ちゃん（ペンネーム）会社員 39歳 男性

ブラック企業をいくつか渡り歩きましたが、法令違反とは別に、やっていることがアジアやアフリカの独裁国家と変わらないところがあります。例えば社員同士の交流を禁止したり、交友関係や外からの情報を嫌う。有給休暇で友人と会う、市役所に行くなどは親の敵のように露骨に嫌がり根掘り葉掘り聞こうとします。社員にあえて資格を取らせないなど飼い殺しで逃げ場をなくしているとしか思えない。この手の企業で働く同僚を説得する方法はありませんか？　みんな逃げ出せばおかしい企業を排除できると思うのですが。ワンマン体制の会社はなぜ情報統制のようなことをするのか、なぜ洗脳されてしまうのか教えてください。

カリスマの引力圏では正常な判断ができない

ブラック企業の経営者に、類いまれなカリスマ性が備わっていることは間違いありません。したがって、こういう人の引力圏に入ってしまうと正常な判断ができなくなってしまいます。

この傾向は、ネットワークビジネスと言われる、いわゆるマルチ商法の主宰者によく見られます。作家の新庄耕氏が、大手電機メーカーの関連会社に勤める青年社員ユウキが、ネットワークビジネスにハマっていく姿を見事に描いています。

〈街で声をかけてまわり、徐々に自分の下に子会員がつらなりはじめると、木村社長に頼まれる形で、多くの人と面談をするようになった。相手は、木村社長が別に経営するコンサルタント会社のセミナー受講者で占められ、若者が多く、来歴は様々だった。（中略）いずれも何かしらの困難を抱えているのは共通していて、基本的に、することはこれまでと同じだった。話を聞き、そのほとんど全てを肯定し、ニューカルマやネットワークビジネスに対する誤った認識があれば正す。／そうして彼らの中から会員になる者が出はじめ、やがてセミナー講師を任されるほどに傘下のグループが拡大し、派遣の仕事を辞めて活動に専念する頃には、ニューカルマで最も大きなグループを抱えるまでになっていた。／何か自分が特別なことをしたつもりはない。大変な思いをしたわけでもなかった。ただ目の前にいる人の話に耳をかたむけ、正直に向き合いつづけてきたに過ぎない。にもかかわらず、ふと顔をあげると、周りの景色が一変していたのだ……。〉（『ニューカルマ』201～202頁）

人間は、仕事や生活で誰もが悩みを抱えています。この悩みに真摯に向き合うようなそぶりをして、相手から経済的利益を徹底的に搾取、収奪するのがブラック企業経営者の特徴です。ネットワークビジネス自体は違法ではありません。しかし、その中に人間を破壊していく要素が含まれています。ブラック企業も、表面上はアパレル、飲食など立派な職業の看板を掲げています。しかし、実態は仕事を通じて社会に貢献するよりも、従業員と客から、利益を吸い上げることしか考えていません。

真面目な人ほど、ブラック企業経営者が持っているカリスマ性に惹かれてしまいます。しかし、ここで冷静に考える必要があります。ヒトラー、ムッソリーニ、スターリンなどの独裁者も、強力なカリスマ性を持っていました。その人が持つカリスマ性と、その人が社会的に果たしている機能は、冷静に分離して考察する必要があります。

ブラック企業の中で一生懸命の仕事をしている人は、心理的に経営者に迎合して自分が置かれている状況が見えなくなっています。そういう人には、「こうならないように」と言って『ニューカルマ』を渡すと効果があると思います。間違った人生体験を書物の中で代理経験しておくと、ブラック企業から抜け出すきっかけになると思います。

参考文献

ニューカルマ
新庄耕
集英社

将来に不安を募らせ、ネットワークビジネスの世界に救いを求めたユウキ。その結果、仕事と友人を失い、転落していったユウキが選んだ道とは？ '16年刊

第055回

30歳を超えて水商売を続けるべきか悩んでいます

相談者●ヲミズ(ペンネーム) 水商売 30歳 女性

短大を卒業してから定職に就かず、ずっと水商売のお店で働いてきました。お店ではそこそこ売れっ子(同伴ノルマはほぼ達成)ですが、昨年ついに30歳になりました。お店には私よりも年上の姉さんもいらっしゃいますが、そろそろ自分では限界を感じてきています。今は生活費などを支援してくれる年配のお得意さん(カラダの関係アリです)もいます。年下の彼氏もいます。生活には不自由していません。今までもそれほど不自由したことがなかったため楽観的でしたが、このまま水商売一本で行くか、定職を探して安定したサラリーマンとの結婚を理想とするのか悩んでいます。

“パパ”の経済力はそのうちなくなる

あなたは同世代の人たちと比べて、しっかりしています。自分の力で生活の糧を得ていくということが、人間の基本です。誰であっても、遅かれ早かれ、この問題を直視しなくてはならないのですが、それがなかなかできません。ヲミズさんと同世代の社会学者・古市憲寿氏は、こう述べています。

〈ピースボートに乗る若者たちが直面しているのも「近代的不幸」ではなくて、まさに「現代的不幸」と言えるだろう。彼らの多くは決して豊かな暮らしをしている訳ではないが、切実な貧困などの「近代的不幸」に苛まれている訳でもない。彼らが「生きづらさ」を感じているのは、「専門学校を出て、働いているけど、このまま20代が終わっちゃうのが嫌だった」(コウジ、24歳、♂)というような「閉塞感」や「空虚感」である。〉(『希望難民ご一行様』145~146頁)

あなたが抱えている問題は、閉塞感や空虚感というような、とらえどころのない問題ではなく、どうやって経済的自立を確保するかという現実的問題です。水商売の特徴は、付加価値が大きいことです。昔と違って、スコッチウイスキーやフランス産コニャックの値段も安くなりました。また、カラオケが普及してから、生バンドやピアノ演奏も廃れてしまいました。そうなるとお店では、女性の付加価値で基本的に勝負するということになります。この付加価値は、3つの要素から構成されます。

第1は、美しさです。抜群に美しい人ならば、年を取ってもこの世界で十分にやっていけます。第2は、若さです。まれに「ババ専」のように高齢者を好むお客もいるでしょうが、そういう人は専門店に流れます。通常、水商売では若い人が有利です。これは、ヲミズさんもよく理解しているでしょう。第3は、人間力です。これは、主として会話の面白さです。この面白さのなかには、お客さんの状態を正確に理解し、思いやることも含まれています。ヲミズさんの場合、第2の要素が衰えていっても、第1、第3の要素がそれを上回れば、この業界で生き残っていくことができます。現在は美容整形が発達しているので、人工的に美しくなることも可能です。人間力も努力すれば伸びます。

一番重要なのは、あなたがこの仕事を好きかどうかです。水商売では、女性の間の競争も激しいです。年上のパパ（パトロン）を見つけても、相手の経済力はそのうちなくなります。もっとも、実力だけが勝負の面白さも水商売の世界にはあります。あなたがこの仕事を好きならば、お店を持つことを真剣に考えればいいと思います。そうでないならば、お客さんの中からいい人を選んで結婚するか、あるいは年配のお客さん（カラダの関係のない人）に誰かを紹介してもらって見合い結婚するのがいいと思います。

参考文献

希望難民ご一行様
ピースボートと「承認の共同体」幻想
古市憲寿
光文社

若手社会学者の著者が、実際にピースボートに乗り込んで、現代の若者が抱える悩みや問題について分析。〝希望の船〟で繰り広げられる光景とは？　'10年刊

第056回

「パパ活」という行為にショックを受けました

相談者●老害（ペンネーム）会社役員 56歳 男性

私は「パパ活」という行為にショックを受けました。友人がお金を払って若い女性と食事をしたことがあると自慢げに話しているのを聞いて（友人は同い年で、バツイチ子ナシ）、世も末だなと。しかし、今はどんな女性でも男性と金銭の授受を伴う食事ができるようなのです。カラダの関係を必ずしも伴わないため、アルバイト感覚の女性も少なくないと聞きました（つまり、貧困問題とは関係ないと友人は語っていました）。男性と食事をするだけでお金がもらえるのが当たり前になれば、人間関係は希薄化し、家族という概念さえ崩壊しかねないと感じております。佐藤さんは「パパ活」について、どうお考えでしょうか？

お金で〝深淵〟を埋める哀れな努力がパパ活

若い女性が、年上男性と会食などをすることで現金を得ることを「パパ活」という。表面的に見ると、性的接触を含まない援助交際のように見えます。援助交際は売買春の一類型ですが、パパ活にはそれよりも深刻な問題が潜んでいるように思えます。パパ活を理解するためには、それと似た「ママ活」について考察する必要があります。

ママ活とは、若い男性が年上女性と会食するなどして現金を得るビジネスです。私は、大学や高校で教えていますが、高校生や大学生で母親が大好きな男子がとても多いです。母親と手を繋いでる男子もときどきいます。また、高校生の母親から私は「息子が遠くの大学に通って下宿するのが嫌だ」と相談を受けたことが何度かあります。「息子さんは結婚しないプロの独身になりますよ」と私が言うと、母親は「それは困るので、私が息子の嫁を見つける」と答えます。大学生にも「お母さんのような人と結婚したい」というような男子学生が少なからずいます。さすがに自分の母親と性的関係を持つのはヤバイと思っているので近親相姦の可能性はないと思いますが、見ていて心配になることがあります。ママ活で、おそらく年上女性は、自分の息子とこういうふうに遊べたらと思っているのでしょう。

パパ活は、そこそこスケベだが不倫をするリスクは取りたくなく、風俗では雰囲気が出ないと思っていて、若い女性とデートをして一種の支配欲を満たしている人もいると思います。それとは別に、妻との関係は冷めきっていて娘も口をきいてくれず、会社で女性の部下からも相手にされない男性が、金銭や高価な食事を媒介に女性とのコミュニケーションを必死になって取ろうとしているのもパパ活なのだと思います。ここには社会的な背景があります。

金沢大学法学類教授の仲正昌樹先生がこんな指摘をしています。

〈ボードリヤールが「第二の革命」と呼んでいるのは、この「自由の深淵」が次第に顕わになることによって、「人間」中心の世界観も揺らぎ、価値の座標軸が消失していくプロセス、言い換えれば、「ニヒリズム」が深く浸透していくプロセスであると見ることができる。近代の啓蒙主義は、神学的な「見せかけ＝仮象」と思われるものを破壊することによって、〝人間本性〟を解放しようとしたが、「人間」それ自体を価値の源泉として浮上させたことによって、ニーチェのツァラトウストラが直面せざるを得なかった「自由の深淵」をも浮上させることになったわけである。「人間」自身の中心にブラックホールのような〝深淵〟が開いているかもしれないことが分かってしまった、ということである。〉（『ポストモダン・ニヒリズム』21～22頁）

現下の日本でも、一人ひとりが分断されて心に深淵が生じています。カネの力で、その深淵を一瞬だけ埋めようとする哀れな努力がパパ活だと思います。

参考文献

ポストモダン・ニヒリズム
仲正昌樹
作品社

'68年のフランス五月危機を経て進んだ自由・平等・性の解放。ニヒリズムの時代に、いかなる思想、記号、言語、力の変遷が見られたかを明らかにした一冊。'18年刊

第057回

低収入の誠実な人と高収入の遊び人のどっちを選ぶべき?

相談者● 独身OL(ペンネーム) 証券会社 37歳 女性

証券会社で働く独身OLです。自分で言うのもなんですが、営業成績がいいので同期のなかでは最も多い収入をもらっています。実は今、気になる人が2人います。一人は社内のやり手営業マンですが、同期から「あの人は社内の人に何人も手を出してるからやめたほうがいい」と言われています。もう一人は、合コンで知り合ったメーカー勤務の方で、非常に誠実そうです。その人は少なからず私に好意をもってくれていると思うのですが、私のほうが収入が多いことに気づいて(私の住んでいるマンションなどから)、一歩ひかれているように感じます。私はどちらの男性を選ぶべきでしょうか?

同棲してセックスと経済生活を共にしよう

小中学校の頃から、独身OLさんは優等生だったのだと思います。しかし、少し厳しいことを言いますが、学校の成績、職場における高い地位や評価と人間としての幸せは、直接繋がっていません。少し冷静に考えてみると成績と人間の価値はまったく関係ないのですが、いわゆるエリートと言われている人、あるいはエリートを目指す人は、事柄の本質を冷静に見極めることができなくなっている事例が多いのです。そのことに危機意識を覚えて、井戸まさえさんと『子どもの教養の育て方』という本を出しました。ぜひ、目を通してください。この本を読めば、今までの価値観から、距離を置くことができるようになります。

さて、ご相談の具体的内容についてですが、同期から「あの人は社内の人に何人も手を出してるからやめたほうがいい」と言われているような男とは絶対に結婚しないほうがいいです。女癖の悪さというのは、まさに癖です。病気は適切な治療をすれば治すことができるか、あるいは発症を抑えることができます。しかし、癖はそう簡単に直りません。あなたと結婚してから、相手は必ず浮気をします。浮気と浪費はパッケージです。こういう男と結婚しても、絶対に幸せにはなりません。もっとも世の中には「不幸依存症」の人がいます。そういう人ならば、浮気癖、浪費癖のついた男と結婚しても耐えに耐え抜くことができるでしょうが、それは決して幸せな人生とは思いません。

人間が、人生の重要なことを他人に相談するときは、実は、結論が事前に心の中では決まっているのです。独身ＯＬさんが、合コンで知り合った、あなたよりも所得の少ない男性に惹かれていることは、質問を読めばよくわかります。自分の気持ちに忠実に進むことをお勧めします。ただし、現在のあなたの価値観で結婚すると、おそらくこの結婚はうまくいかないと思います。
資本主義社会では、人間の能力はカネで評価されていると考えている人が多すぎます。しかし、カネは商品交換の過程で生まれた人間と人間の関係の一部を表すものにすぎません。駆けっこが速い男性や巨乳の女性は、ある状況下で、ある人たちからはモテるかもしれませんが、それが人間的価値のすべてを表すものではありません。カネにとらわれる世界観から独身OLさんが抜け出す努力をすることが重要です。少し難しいテキストですが宇野弘蔵『経済原論』（岩波書店）や鎌倉孝夫『資本主義の経済理論』（有斐閣）の貨幣に関する記述を熟読することをお勧めします。あなたが、この人を「非常に誠実そうです」と感じているのですから、この出会いには脈がありそうです。思い切って、この男性と同棲してみることです。1年間同棲し、セックスと経済生活を共にすればお互いの価値観や性格がよくわかります。そのうえで、一緒にやっていけると思ったならば、この男性と結婚すればいいのです。

参考文献

子どもの教養の育て方
井戸まさえ／佐藤優
東洋経済新報社

知の巨人と5児の母兼政治家が語りつくす、新たな「子育て論」。頭のいい子、勉強のできる子、優しい子を育てるための具体的方法論も紹介。'12年刊

第058回

前科者で病気持ちの私はどう生きたらいいか

相談者●闇夜の仕置き人（ペンネーム）無職 40歳 男性

'18年10月中旬に刑務所を仮出所して年明けまで更生保護施設にいました。'18年末に精神障害を再発させてしまい、ある意味、生活保護を受けてます。毎日、大したお金もないのに街をぶらつき、何の生き甲斐も見いだせてません。前科者で病気持ちの私が、この先何を望みに生きていけばいいかわかりません。ホリエモンみたいに懲役生活をプラスに転化させて這い上がっている人が羨ましいです。佐藤先生がもし私のような立場ならどうしますか？　ぜひアドバイスをお願いします。

刑務所は人格を徹底的に否定される場所

私は懲役で服役したことはありませんが、鈴木宗男事件に連座して東京地検特捜部によって逮捕されて、東京拘置所に512日間勾留された経験があります。それだから、服役した人の悩みについては他人事とは思えません。

拘置所や刑務所は人格を徹底的に否定される場所です。「昭和の脱獄王」と呼ばれた白鳥由栄をモデルとした吉村昭氏の小説『破獄』に描かれている状態は、現在も基本的に変わらないと思います。主人公・佐久間清太郎は１９３３年４月に仲間とともに強盗殺人事件を起こし、'36年初めに一審で死刑を求刑されましたが、同年６月に収監されていた青森刑務所から脱獄しました。その後、拘束され、控訴審で無期懲役が確定しました。それからも刑務所の処遇に不満を持ち、'42年に秋田刑務所から、'44年に網走刑務所から、太平洋戦争後の'47年に札幌刑務所から脱獄しました。佐久間が脱獄した理由は、看守から人間的な扱いをされなかったからです。最後に佐久間は府中刑務所に送られますが、刑務所長が人間的な扱いをしてくれたので、真面目に服役しました。仮釈放になった後は日雇い労働者として働き、正月には年金生活に入った元刑務所長のところを訪れて近況を報告していました。

私があなたの立場だったら、現実的に考えて自分にできる仕事を探します。あなたの場合、障害者手帳を持っているのですから、障害者枠を使って仕事を探すことをお勧めします。認定特定非営利活動法人「全国就労支援事業者機構」という団体があります。ホームページによると、〈犯罪の中のいわゆる再犯に着目すると、その対象者は、既に犯罪で検挙された者であり、その改善更生を図ることによって、防止できるものであります。最近の統計によれば、一般刑法犯で検挙された者のうち、再犯者の比率は、38・8％であり（平成19年版犯罪白書）、かなりの割合を占めております。／また、非行に陥った少年の更生を図ることが、将来の犯罪防止に寄与することは明らかであります。したがって、犯罪者や非行少年の改善更生を図ることが、治安の向上のためにさしあたって取り組むことのできる効果的な方策であると言えます〉という認識の下で、元受刑者の就職を支援する事業を行っています。

全国のさまざまな企業（中小・零細企業が多い）が、元受刑者の受け入れに積極的に取り組んでいます。ホリエモンのように、再びマスコミの注目を浴びて、巨額の収入を得ることはできませんが、自分が食べていく分と、少し貯金をすることができるくらいの賃金は支払われます。あなたの場合、独身なのか、家族がいるのか、わかりませんが、今後の人生を考えて、自分の生活を賄うことができる道筋を立てることが重要です。あなたを担当する保護司に率直に相談してみるといいと思います。うまくいくことをお祈り申し上げます。

参考文献

破獄
吉村昭
新潮文庫

「昭和の脱獄王」をモデルに、無期刑囚・佐久間清太郎の超人的手口、大胆な行動力、男たちの息詰まる戦いを描いた力作。読売文学賞受賞作品。'86年刊

第059回

1浪3留で将来の展望が見えません

相談者● 内山宗一（ペンネーム）学生 25歳 男性

私は1浪3留している大学生です。単位の計算ミスや就職活動の失敗によって現在こうなっています。就職活動について、何もやる気が出ません。面接に行ってもどうせ落とされます。それに労働時間がアホみたいに長くなくて、給料も安すぎるほどではない、みたいな企業はどうせ雇ってくれません。やりたいことが特にあるわけでもないですし、自分なんか雇うようなブラックで働くくらいなら、ニートで寄生して親が死んだらそのまま自殺か餓死か刑務所みたいなほうがマシな気がしてきます。チビだしモテないし何かもう将来何もいいことがないのでは、と思うのですが何か就職活動のやる気が出そうなアドバイスをください。

今の悩みは30年後にアホらしく思える

まず重要なのは、1浪3留くらいで自暴自棄にならないことです。1浪はよくあることです。問題は3留です。あなたの中に、自分は周囲とは違うのだという根拠のない優越感があるのだと思います。それだから周囲がみんなバカばかりに見えて、大学の授業に身が入らないのではありませんか。そういう自分の姿が滑稽であることについて、あなた自身が気づき始めています。しかし、それを認めるとプライドが崩れてしまうので不安です。そうしているうちに何も手につかなくなってイライラが昂じているというのが現状だと思います。

こういうときは、過去の苦しい時期を生き抜いた人の手記を読むと参考になる情報が見つかります。例えば、京都人民戦線事件に連座して、治安維持法違反容疑で1938年に逮捕され、その後、裁判で執行猶予付きの有罪が確定した和田洋一先生の手記『灰色のユーモア』にはこんな記述があります。

〈私は今これから、特高や思想検事や国粋主義者が大きな顔をし、民衆がおびえ、小さくなっていたあの時期のことを語ろうとしながら、〝ひどい時代だったなあ〟と今さらのように思う。〝ひどい時代だったなあ〟と思う心の根底には、〝今はそれほどではない〟という安心感がひそんでいることは事実で、それだからこそ、当時の私にとって深刻だったことが、今の私にはアホウらしくみえたり、ユーモラスであったりする。／あのころはひどい時代だったと私が言えば、四十歳以上の年配の人は、比較的簡単に同調してくれるだろう。しかし誰も彼もというわけでは決してない。私たちがひどい時代だったと思っているその方向へ、日本を逆もどりさせようと躍起になっている人たちも、もちろんいる。（中略）いずれにしても今は奈落の底への地すべりの時代、破局への一方的傾斜の時代ではない。〉（『灰色のユーモア

――私の昭和史』16頁）

和田先生がこの手記を発表したのは'58年で55歳のときです。私も鈴木宗男事件に連座して逮捕され、東京拘置所の独房に512日間勾留されました。「当時の私にとって深刻だったことが、今の私にはアホウらしくみえたり、ユーモラスであったりする」ということは、私についても言えます。

あなたは、今苦しんでいて、「ニートで寄生して親が死んだらそのまま自殺か餓死か刑務所みたいなほうがマシ」と思っていますが、今から30年後、55歳になったときには、「あのとき何であんな気持ちになったのかなあ」とアホらしく思えるようになります。そのためには、まず大学の単位を取って卒業することです。大学の就職部でよい仕事が見つからないならば、ハローワークに通いましょう。必ずどこかに就職できます。そこで真面目に仕事をすれば、将来の展望が必ず見えてきます。頑張ってください。

参考文献

灰色のユーモア
私の昭和史
和田洋一
人文書院

共産主義者と疑われ、治安維持法違反で1938年に逮捕された著者。取り調べの様子をコミカルに綴った表題作ほか、昭和史を切り取った作品を収録。'18年刊

生き抜くための読書術

第四章 人間関係・仕事編

第060回

SNSで絡んでくる人が嫌です……

相談者●みどり（ペンネーム）会社員 41歳 女性

ブログ、フェイスブック、ツイッターが趣味です。会社では出会えない知識や人々との交流を楽しみたくて、自分でも書き込みますが、ネガティブな考え方の人に絡まれるのが嫌です。何でも重く考え、否定的で、自分本位で、思いやりがなく、希望のない考え方が非常に多いです。見ているだけで不愉快ですし、私を名指ししたコメントを無視したりすると粘着されそうで怖いです。我慢するにしても、自分がそういう考え方に引きずられないためにはどうすればいいか。こういう人にはどのように関わっていくべきでしょうか。

京都人の人付き合いについて学ぼう

確かに、ブログ、フェイスブック、ツイッターなどを用いれば、会社だけでは知ることのできない知識を得たり、新しい人たちとの出会いがあります。しかし、ソーシャルメディアには妄想を拡大する傾向があることに注意しなくてはなりません。この点について、金沢大学の仲正昌樹教授はこう指摘します。

〈ネットでは、いろんな意見が飛び交っているので、偏った情報やイメージも自然と矯正されると言う人もいますが、アメリカの憲法学者のキャス・サンスティン（一九五四〜）は、ネットでは自分の好きなサイトだけを見ることができる。そのため偏った意見の人たちが同じような意見の人たちとばかり情報交換するので、余計に偏っていく傾向があることを指摘しています。反対の意見には最初から耳を傾けず、イメージだけで毛嫌いし、味方の同意を得ることで、その嫌悪感を更に増幅させていくわけです。〉（『日本の思想講義』２２２頁）

私も仲正教授と同じ意見です。「猫がどういう玩具を喜ぶか」「電気がまが壊れたんだけど、どこに持っていけば修理できるか」というような、政治的、価値的に中立的な問題については、ソーシャルメディアによる解決が馴染みます。しかし、物の見方や考え方に関して、ソーシャルメディアは偏見を強めてしまう危険性があるので、私はこの世界に深入りしないようにしています。

みどりさんは「我慢するにしても、自分がそういう考え方に引きずられないためにはどうすればいいか」とおっしゃいますが、関わり続ける限り、不愉快な出来事に遭遇し、偏った考え方に引き寄せられます。名指しコメントに反応しないと荒らされるような場所には出入りしないほうがいいと思います。そういう観点からすると有料メルマガの世界は、荒らしが少なく、人格的な誹謗中傷もほとんどありません。カネを払ってまで嫌がらせをしたいと思う人が少ないからなのでしょう。筆者自身、有料メルマガ（佐藤優直伝「インテリジェンスの教室」）を始めて、そのことを実感しました。

みどりさんには、フェイスブックやツイッターから距離を置き、リアルな友人との関係をより重視することをお勧めします。思ったことを何でも口に出してしまうと、人間関係がぎくしゃくします。ここで参考になるのが「京都人の知恵」です。

〈京都人の知恵では、なんとなくおよそのことを知るくらいにとどめておく、あるいは、知ってもそれを確かめるために口に出すことは控える。むしろ、「ほんま（本当）のことを相手が知っているのかどうかすら曖昧な方が人間関係がうまくいく」という哲学で成り立っている。〉（『京都の流儀』27頁）

バーチャルからリアルな世界に飛び出す勇気を持つことをお勧めします。そして、思ったことを何でもぶちまけることで傷つけ、傷つくネット文化を克服してほしいと思います。

参考文献

京都の流儀
人生と仕事を豊かにする知恵
八幡和郎＋CDI
PHP研究所

「一見さん、お断り」などの京都特有の文化・しきたりに秘められた知恵とは？　全部言わずに余韻を残す。客を選んでサービスを提供する。ビジネスに生きる京都の知恵を紹介。'10年刊

第061回

取引先と人間的信頼関係を構築したい

相談者● 犬好き（ペンネーム）会社員 31歳 男性

営業マンとして、毎日取引先を回り、何度も同じ方と顔を合わせるなかで、多少の世間話などもできるようになりました。しかし、常に壁を感じます。同僚は、取引先の人が主催する飲み会に誘われたり、結婚式に呼ばれたりしていますが、私は飲みにも誘ってもらえません。この違いは、私の話術不足か、キャラクター（私はいたって普通の人間です）が弱いからだと思っています。楽しませるのが下手だし、有意義な情報も提供できていない。同僚のように、密な人間関係を築けるようになりたいです。外交官時代から、海外の要人と胸襟を開いてお付き合いしてきた、佐藤さんの人間関係構築術を教えてください。

言葉の使い方が出会いを有意義にする

外交官時代の私は、ロビー活動や情報収集に従事することが多かったので、社交的な性格だと勘違いされることが多いのですが、そうではありません。人見知りをするので、仕事で誰かと会うのはとても億劫です。家で一人で読書をしたり、猫たちと遊んだりしているのが、何よりも楽しいです。作家になってからも、知らない人と会う機会は極力避けています。しかし、職業上、取材や打ち合わせ、あるいは講演会で人と会うことは避けられません。そういうときには、出会いが極力有意義になるように心がけています。

そこで重要になるのは、言葉の使い方です。人間以外にもチンパンジーは言葉を用いますが、人間のように複雑なコミュニケーションを言葉でとることはできません。言葉の技法を磨くと人間関係が楽になります。ここでカギになるのが敬語の使い方です。アナウンサーは、言葉のプロです。梶原しげるさんは、敬語の本質が英語でいう「ポライトネス」にあると喝破します。

〈特に言語学的な意味で使われる「ポライトネス」は、「礼儀正しさ、丁寧さ」とはかなり意味合いが違います。／「ポライトネス」とは対人的な距離の理論であり、「人は言語的に距離を調節する事で対人関係の維持、構築を図っている」という考え方です。相手を上に、または遠くに、距離を置く話しぶりで、相手の領分を侵さず、なれなれしくしないことで敬意を表すのがネガティヴ・ポライトネス。一方で、相手との距離を詰めて縮める、脱距離化を図りざっくばらんな遠慮のない会話で共感的な親密さを表すのがポジティヴ・ポライトネス。〉

(『すべらない敬語』72〜73頁)

あなたは営業で付き合う相手との間に「常に壁を感じます」と言いますが、それは当然のことです。営業の目的は、会社の利潤をあげることです。その目的を遂行する範囲内で、人間関係を構築すればよいのです。家族や恋人や友人と、仕事の上での人間関係が異なってくるのは当然のことです。むしろ、営業先の人との関係が深くなりすぎると、それが崩れたときにマイナスが生じます。いわゆる「枕営業」というセックスを武器に仕事をする人が、短期的には業績をあげても、そのうち不倫が露見し、大きなトラブルとなり、取引先と自分の会社の双方から信頼を失ってしまったという例は、犬好きさんの周辺にもあると思います。

人間には相性があります。取引先の人が主催する飲み会や結婚式に誘ってもらえなくても、プライベートな行事なのですからそれで落ち込む必要はありません。仕事においては、言葉を正しく使って、約束をきちんと守っていれば、それなりの人脈ができます。それで十分と考えればいいと思います。仕事とは別のところで友人がいれば十分と思います。焦らずに今の仕事を着実に進めていくことが重要です。そこから道が拓けます。

参考文献

すべらない敬語
梶原しげる
新潮新書

敬語を使いすぎても、相手との距離は縮まらないもの。失礼と丁寧の境界線を明らかにしながら、名司会者のテクニックから暴力団との口の利き方まで解説。'08年刊

第062回

1年に4回もフラれて結婚をあきらめました

相談者●ポンタ（ペンネーム）OL 32歳 女性

1年間で4回も男性にフラれました。年初に彼氏に別れを切り出され、なんとかヨリを戻したのですが、結局フラれました。秋には新しく好きな人ができたのですが、告白したらフラれました。カラダの関係はあったのですが、ダメでした。どうしてもあきらめきれなくて、もう一度告白しました。やっぱりダメでした。好きになると、その人一直線になるのが重かったのかなぁと考えましたが、もう疲れてしまいました。結婚もあきらめました。ただ、それでも楽しい人生を送りたいと思っています。習い事でも、宗教でも、何でもいいので新しいことをやりたいと思っていますが、何をしたらいいかわかりません。

恋愛できない人は信仰的充足も得られない

1年に4回フラれることは、それほど珍しいことではありません。むしろ問題なのは、「この人が好きだ」という気持ちに自縄自縛され、身動きがとれなくなってしまったことです。

「結婚をあきらめる」という結論も短絡的です。人間は複雑な動物です。恋愛でも仕事でも、思いどおりにならないことはよくあります。それから、ヒトを含む動物のオスは、少しでも多く自分の子孫を残すのが本能です。草食系男子が増えたといっても、男は本質的にセックスが好きです。それですから、男性と体の関係を持つことと恋愛を混同しないことが重要です。本気の恋愛ならば、体の関係を持つのが普通ですが、体の関係を持ったからといって男性があなたを本気で愛しているという保証にはなりません。セックスをしながら男が「愛しているよ」というのは、「君の体だけを愛しているよ」という意味にすぎないことがかなりあります。もう少し冷静に自分を観察する訓練をすることをお勧めします。

そのためには、優れた小説を読むことで代理体験を積んでおくべきです。人間が複雑な存在であることをテーマとした作品をお薦めします。現在では、ほとんど読まれなくなってしまいましたが、高橋和巳の作品を読むと、恋愛、宗教、学術などに対して、とても深い代理体験ができます。特にドストエフスキーの『悪霊』から高橋和巳が知的刺激を受けて書いた『日本の悪霊』を読むと世界が広がります。

一昔前までは、恋愛がうまくいかないから政治にのめり込むという若い人がときどきいました。最近では、政治はブームでないので、恋愛で満たされない人が宗教に向かう傾向が強いようです。私はプロテスタントのキリスト教徒で、同志社大学神学部と大学院を卒業した宗教の専門家でもあります。それですから、あえて厳しいことを言いますが、満足に恋愛できない人は宗教の世界に入っても、信仰的充足を得ることは絶対にできません。「自分が満足できることは何なのだろう」と宗教をいくつも変え、自己啓発セミナーに通ってお金をたくさん使い、その結果、何も得られないという状態になった人を私はたくさん見ています。ポンタさんには、そういうふうにはなってほしくないのです。

人間は群れをつくる社会的動物です。誰も一人だけでは生きていくことができません。「人間の隣には人間がいる」という単純な真実を見いだし、リアルな友達をつくることが、あなたが抱えている問題を解決する唯一の正しい方法と思います。セックスで繋がることを友情と勘違いしてはいけません。ポンタさんが直面しているのは人間関係を根本的に構築し直すという難しい問題ですが、それはうまくいきます。あなたが誠実な人だからです。ポンタさんの誠実さが質問の行間から伝わってきます。よい小説を読んで、人間的な幅を広げれば、必ず展望が開けます。

参考文献

日本の悪霊
高橋和巳
新潮文庫

特攻隊員として死を決意しながら生き残った刑事、革命の先兵として殺人を犯した被告との間に芽生えた奇妙な共感を描いた作品。罪と罰の根源を問う代表作。'80年刊

第063回

日に日に肥えていく彼女を痩せさせたい

相談者●アンディ（ペンネーム）会社員 29歳 男性

彼女が日に日に肥えていきます。もともと太めで、本人も多少は気にして、ジョギングを始めたのですが、1か月に1度走ればいいほうで、シューズはほぼ新品のまま放置されています。週末だけうちに泊まりに来て、私に料理をふるまってくれるのですが、料理と食事のとき以外はベッドでゴロゴロしています。痩せたいと言いつつ、太っていくだらしない彼女を見ているとイライラしてきます。どうやってやる気にさせたらいいでしょうか？

30代のロシア女性は100kgを超えがちです

ロシア人の女性は、10代はだいたい痩せています。しかし、30代になると100kgを超える人が少なくありません。ちなみにロシアの家庭用体重計には120kgまで目盛りがついています。それだから、この範囲で収まれば「激太り」ということにはなりません。120kg

を超えた場合、体重計を2台用意します。それぞれの体重計に右足、左足を乗せ、それぞれの数値を合計すると体重がでます。120kgを超えると腰や膝、あるいは内臓に何らかの欠陥がでてくる場合が多いです。もっとも100kgを超える人で80歳以上の長寿の人もよくいるので、一般論として「太りすぎは健康によくない」ということが言えるとしても、それ以外はケース・バイ・ケースです。

あなたの彼女の場合、太り始めたといっても、どの程度なのかわからないので、具体的なアドバイスが難しいです。ただ、ここで気をつけなくてはならないのが、太り始めたのがメンタルな要因の場合です。この点で、人間関係の基本となる愛着に関する岡田尊司先生の見解が興味深いです。

〈愛着スタイルは、自らの健康管理にも影響する。／安定型の人は、健康を維持するために、運動をしたり、食事に気を使ったりといったことにも熱心に取り組む傾向がみられる。一方、飲酒や喫煙、薬物乱用といった健康に有害な行為を避けようとする。／不安型の人は、ストレスが多いため健康に問題を抱えやすいにもかかわらず、きちんとした健康管理を行っていない傾向がみられる。また、痛みに弱く、不調や苦痛を感じやすいため、些細なことでも大騒ぎする。それがこのタイプの人の自分の守り方なのである。／一方、回避型の人は、自分の健康管理に無頓着な傾向がみられる。自分の症状やストレスについてあまり自覚がないので、病気が進んで初めて気づくということになりがちだ。そのため、さまざまな身体疾患の罹患率が高い傾向がみられ、自覚されないストレスが、知らないうちに身体的な症状となってあらわれやすい。〉（『愛着障害――子ども時代を引きずる人々』198頁）

彼女は無意識のうちに、メンタルなトラブルを抱えていて、それが生活習慣に出ているのかもしれません。あるいは、彼女が実はそれほど太っているわけではないのに、あなたが「最近、あいつは急に太り始めた。俺の思いどおりのスタイルにならないあいつを見ているとイライラしてくる」と感じているだけなのかもしれません。その場合は、彼女よりもあなたの支配欲に原因があります。これも愛着障害と関係している場合が多いようです。

いずれにせよ、彼女の生活習慣にあなたがイライラしている状況はよくありません。彼女とよく話し合ってみて、お互いの認識が一致しないならば、恥ずかしがらずに一緒に精神科か心療内科を受診し、専門家の助言を得ることを勧めます。

参考文献

愛着障害
子ども時代を引きずる人々
岡田尊司
光文社新書

気を使う人、依存しがちな人、意地っ張り、そうした人には「愛着」の問題が潜んでいる。精神科医の著者が発見した4つの愛着スタイルを説く。'11年刊

第064回

美しいはずの日本語が乱れすぎている！

相談者●帝国人（ペンネーム）受刑者 40歳 男性

最近、日本語がねじれている気がしてなりません。知人と話をしていて「あそこの花、きれいだよな」と言ったところ、その人は「トゲとかすげぇやべぇぞ」と、会話にもなりません（笑）。例えば「貴様」が、いつごろから尊敬の意味を失い、逆に相手をののしるときに使われるようになったかは知りません。元来は兵役義務のことだった「血税」が「過酷な税金」を意味する言葉になった時期もわかりません。問題は「性癖」です。辞典では〈性質の偏り。くせ〉とありますが、現在では夜の癖のような使い方が定着している気がします。日本語って深くきれいで粋だと思うのですが、なぜ、このように乱れてしまったのか？

獄中では言語に対する感覚が研ぎ澄まされる

帝国人さんはご存じのことと思いますが、私は鈴木宗男事件に連座して「鬼の特捜」（東京地方検察庁特別捜査部）に逮捕され、東京拘置所（小菅）の独房に512泊513日滞在しました。獄中では、読書以外に娯楽がありません（雑居房には将棋があるということですが、独房にはありませんでした）。こういう環境にいると、本の内容が深く頭に入ってきます。そして文章の誤記や誤植が気になります。帝国人さんもときどき新聞に誤植を見つけることと思います。シャバにいるときは、校正を専門にしている人以外、新聞の誤植に気づくことはまずないと思います。それだけ、獄中にいると文字言語に対する感覚が研ぎ澄まされるのです。

帝国人さんの刑務所ではどうなっているのかわかりませんが、東京拘置所のベストセラーは『広辞苑』でした。独房で朝から晩まで『広辞苑』を読んでいる人は珍しくありませんでした。『広辞苑』の後記にこんなことが書いてあります。

〈本書は現代生活に必要なことば、日本の文化をうつし出すことばの一つ一つに的確簡明な定義を与え、併せてその後の歴史的な移り変わりや用法の広がりを説くことを主眼としている。／今回の改訂でもその基本方針を保持しつつ、現代人の言語生活にいっそうかなった辞典とすることを目指した。／その中心は、時代の要請に応えるという観点から（中略）約一万項目を増補したことである。特に日常基本の言葉については、その語の新しい語義・用法に留意し、現代語としての用例を豊富に掲げた。〉（『広辞苑（第五版）』２９８５頁）

言葉は生き物です。時代とともに変化します。この変化に対する反応は、人それぞれだと思います。私はどちらかというと言葉の使い方は保守的です。最近、嗚咽（むせびなくこと、すすりなくこと）を「ゲッ」と何かを吐き出す嘔吐と勘違いして用いる人もいますが、そういう言葉の変遷には嫌な感じがします。そして、相手が信頼できる人ならば「言葉の使い方がズレているよ。スマホで電子辞書を引いてみたら」とアドバイスします。

帝国人さんが気にしている「性癖」は、広辞苑に〈性質のかたより。くせ。「変な――の持ち主」〉と記されています。「夜の癖」はこの定義の範疇に入るので問題ないと思います。

また、「血税」について引いてみると、〈①（1872年（明治5）公布の太政官告諭中の語。身血を租税とする意）徴兵。兵役義務。②血の出るような思いで納める過酷な税。〉と定義されています。現行憲法では徴兵制度が廃止されたので、血税が②の意味としても通用するのは当然のことと思います。美しい日本語を取り戻せるか否かは、乱れた日本語を話している人が、同じ内容を『広辞苑』で用いられる標準的な日本語に言い換える能力を維持できるかどうかにかかっています。

参考文献

広辞苑（第五版）
新村出 編
岩波書店

第四版に1万項目を追加し、計23万項目を網羅した、ベストセラーの国語辞典。学術専門語から百科全般にわたる事項・用語も収録。'98年刊

第065回

キャバクラでつくった借金を諜報技術で隠ぺいしたい

相談者●コレ（ペンネーム）会社員31歳 男性

一時期、キャバクラにハマり、給料のほとんどを注ぎ込んだ結果、３００万円近い借金をつくってしまいました。今でもコツコツと返していますが、彼女に結婚を迫られ、親御さんからは「いつ籍を入れるんだ？」と言われているのですが、この借金の存在が明らかになるのが怖いです。彼女は気性が激しいので、「ギャンブルに使った」と嘘をついてもぶん殴られるでしょう。飲み代に使ったといったらケータイのメールからすべて調べられてキャバ嬢に貢いでいたことがバレそうです。諜報技術で何とか私のイメージを崩すことなく、この難局を乗り切る方法はないでしょうか？

カバーストーリーでキャバ通いを隠匿せよ

プロのインテリジェンス・オフィサー（諜報員）は、不必要な嘘はつきません。どうしてかというと、事実ならば普通に記憶を喚起して整理すればいいだけですが、嘘はきちんと記憶しておかなくてはならないからです。もちろん、インテリジェンス業務には「偽装用物語」（業界用語ではカバーストーリーという）が不可欠です。カバーストーリーを維持するためのエネルギーを極少にするためにも、不必要な嘘はつかないというのがプロの技法です。

CIA（米中央情報局）の元諜報員だったカールソンはこう述べます。

〈CIAの諜報員が道義的でなく、たんに平気で嘘をつく人たちだと皆に思われてしまったら、彼らの仕事はまったくうまくいかなかっただろう。そのため嘘をつくのは、ほかにどうしても手段がないときに限られる。／たとえば標的となった相手に接触するために、身分を偽るなどの嘘をつくことはある。だが、その目的を達したあとは、嘘をつくのをやめる。最初に嘘をついたことも正直に話す場合が多い。〉（『CIA諜報員が駆使するテクニックはビジネスに応用できる』192頁）

ちなみに、全面的に嘘をつくことと、真実をすべて語らずに、少し曲がった情報を提供することで自分に有利な状況をつくる技法（ディスインフォメーション＝情報操作）は、別次元の話です。コレさんの彼女は、気性が激しいとのことなので、「キャバクラにハマって借金をした」という話をすると、それが結婚した後も、ずっとついて回る可能性が排除されません。人間には「思い出し怒り」があります。「許してあげる」と言ったはずなのに、何かのきっかけで、「あんた、結婚したときにキャバ嬢に貢いで300万円も借金をしていたよね」と爆発するかもしれません。それですから、キャバクラに入れ込んでいた話は、徹底的に秘匿することをお勧めします。
　他方、借金に関する話は、正直にしたほうがいいと思います。例えば、「将来のことを考えると、少しでもカネがあったほうがいいと思って、先物相場に手を出した。それで穴をあけて、今300万円の借金が残っている」というカバーストーリーを展開すればいいと思います。先物関係の本を1、2冊、読んでおけば、彼女を説得することは十分できると思います。彼女が「どういう取引をしていたの」と突っ込んできた場合は、「もうあのときの地獄を思い出したくない。現在は、こういうふうに返済計画を立てている」と、話をズラしましょう。300万円の借金を給与から返済するとなると、かなり大変です。彼女や彼女の両親が、お金を融通してくれるというならば、遠慮せずに借りたらいいと思います。そのときは弁護士事務所に行って、銀行と同じ利息を支払う借用書を作成することです。そうすれば、コレさんが真面目な人だという印象が醸し出されます。

参考文献

CIA諜報員が駆使するテクニックはビジネスに応用できる
J・C・カールソン（夏目大 訳）
東洋経済新報社

CIAが実践するインテリジェンスの技法をビジネスマン向けに解説した一冊。CIA流の人脈を築く方法、交渉術、心理を見抜く技術などをすべて公開。'14年刊

第066回

自分に合った仕事の見つけ方がわかりません

相談者●クロネコ（ペンネーム）無職 35歳 女性

かつて、佐藤さんはある相談者に「人にはそれぞれ合った仕事が必ずある」とアドバイスをされていらっしゃいましたが、それをどうやって見つけたらよいのかわからずにいます。私の職歴は営業2年（休職後に退職）、事務職通算約10年と同年代に比べかなり職歴が多く、それもまたコンプレックスの一つです。先日、面接で「事務職のよいところを挙げてください」と質問され「決まったお休みと……」と答えに詰まってしまいました。支離滅裂な内容で申し訳ございませんが、自分に合った仕事をどうやって見つけたらいいか、アドバイスをいただけないでしょうか。

神からの召命と職業の概念は切り離せない

決して支離滅裂な内容の相談ではありません。自分の適性に合った職業を選ぶことは人生の重要問題です。人生と職業の関係についてはさまざまな考え方があります。「カネをたくさん稼ぐことができるならば、ヤバイ仕事でもいい」と考える人もいます。そうなると『闇金ウシジマくん』の世界に近づいてゆきます。「カネよりも社会的に評価される職業につきたい」と考える人もいます。もっともこういう発想が極端に振れると、外務省によくいる人間性を欠いた官僚と同じになってしまいます。

私は、職業は人生と一体化していると考えます。職業を通じて、人間は他者に役立つ社会的機能を果たすからです。ドイツ語に「Ｂｅｒｕｆ（ベルーフ）」という言葉があります。これは職業とともに神からの召命（天命）を意味します。職業と召命が、同じ言葉で表されているということは、２つの概念が切り離せないことを意味します。召命の意味について、私が尊敬するチェコの神学者ヨゼフ・ルクル・フロマートカは次のように述べています。

〈召命はこの世の人生において起きるが、神の恵みによって、神の自由な決断で行われる。人の能力や資質、出自や肌の色、教養や賢さとは関係ない。道徳性、品位、宗教への熱心さや貢献度とも関係ない。前もって召命から除外されている人もなければ、人が自分で呼ばれることを自分で前もって定めることもできない。この現実が私たちに謙虚さを求める。使命は私達の手中にも、私達の可能性の中にもない。召命されるように自ら決めることもできなければ、精進することもできない。自分が呼び掛けられるように、精神的に修練することもできない。私たちは何も強要できない。〉（『人間への途上にある福音』26～27頁）

ポイントは「能力や資質、教養や賢さとは関係ない」というところです。自分の専門分野、適性を仕事で生かすことができる人は、ほんの一握りしかいません。大多数のサラリーパーソンは与えられた仕事を一生懸命こなすだけで、その仕事が自分の適性に合っているのか、などと考える余裕はありません。しかし、一人前に仕事をこなすことを通じて、客観的に社会に貢献しています。

召命とは今、自分に与えられている場で、一生懸命働くことです。もし、そこで一生懸命になれないならば、別の職場を考えればいいのです。本気で探せば、自分の能力に相応した仕事が必ず見つかります。今のやり方で職探しを続ければいいと思います。「事務職は決まった休みがあり、生活のメリハリをつけやすい」というのは立派な志望理由になります。採用する側としては、あなたが勤務時間内に会社が必要とする仕事をこなしてくれれば条件を満たすのですから、問題はありません。結婚については、相手がいれば、ぜひすればいいと思います。家事を通じて自分と家族のために働くことも立派な仕事（召命）です。

参考文献

人間への途上にある福音
キリスト教信仰論
ヨゼフ・ルクル・フロマートカ
（平野清美 訳／佐藤優 監訳）
新教出版社

佐藤優氏が「この本が私の人生を定めた」と語るチェコの代表的プロテスタント神学者の主著。信仰論と福音の世界を解き明かした名著。'14年刊

第067回

人間の能力にはなぜ差があるのか？

相談者●ぴーぽ（ペンネーム）会社員 29歳 女性

私は明らかに仕事をこなす能力が劣る人間です。企画書を用意するのも、本を読むのも、ご飯を食べるのも人の何倍も時間がかかります。上司からは、「それなら人の3倍の時間働け」と言われて5年間、小さなデザイン会社で働いてきました。しかし、それでも人と同じレベルの仕事ができず、ついには体調を壊して、何度も納期を遅らせる失態を犯してしまいました。上司からは「お前は陶芸家にでもなるしかないんじゃない？」と皮肉を言われて、今、自分はどうするべきか悩み続けています。なぜ、人によって能力はこれほどまでに差があるのでしょうか？

作業が遅いこともあなたの個性です

人間には、生まれたときから個性があります。発達心理学者の佐藤眞子先生は、こんな指摘をしています。

〈子どもはみんな、生まれてすぐから個性豊かなものです。赤ちゃん時代を思い出してみてください。あなたのお子さんはどんな赤ちゃんでしたか。おっぱいをたくさん飲んだ子、あまり飲まなかった子。夜はぐっすり眠った子、夜泣きで両親を困らせた子。離乳食を喜んだ子、いやがった子。人見知りのはげしかった子、だれに対しても平気だった子。早い月齢で歩いた子、いつになったら歩けるのかと心配させた子。いつも機嫌のよかった子、ぐずってばかりだった子。ほんとうにいろいろな子がいますね。／たくさんの子どもを育てたお母さんは、このことをよく知っていますし、子どもの姿をよくとらえることができる保育所の先生も同様です。人は一人一人とても違っているものなのです。〉(『2才児イヤイヤ期の育て方』168~169頁)

作業が遅い、理解が遅いということは、あなたの個性なので、それを無理して周囲に合わせようとすると、あなたにとっても、会社にとっても不幸な結果になります。そもそも、「それなら人の3倍の時間働け」と命じる上司がおかしいのです。

もっともあなたは、この会社ですでに5年間働いていて、退職を勧奨されていないのですから、あなたの仕事で会社は利益をあげていると考えていいと思います。新自由主義的な弱肉強食の傾向が日に日に強まる日本の職場で、仕事の足を引っぱるような社員を5年間も養うことはありません。あなたは、会社にとって戦力となっています。そのことを自覚して、まず、自分に自信を持ちましょう。

それではなぜ、上司や社長は、あなたに「もっと働け」とプレッシャーをかけてくるのでしょうか。理由は簡単です。そのほうが会社の利潤が増えるからです。もっとも、どのような人であっても、現在より3倍働くことはできません。そういう上司からの命令は「重大かつ明白な瑕疵」があるので、従わなくても構いません。

現在の職場環境が嫌ならば、2つの選択肢があります。第1は、労働法に詳しく、従業員側に立って仕事をしてくれる弁護士に相談して、会社にパワーハラスメントをやめるように働きかけることです。効果は確実にありますが、職場では何となく居づらい雰囲気になる可能性が排除されません。職場の雰囲気を悪くしたくないのならば、今の職場から転職することです。5年間、一つの会社で仕事をしてきたならば、転職先は必ず見つかります。ただし、転職をすると、現在の会社よりも給与は確実に下がります。同じ内容の仕事で、最低でも10%、場合によっては25%くらい収入が減ることを覚悟する必要があります。

参考文献

個性と心をはぐくむ 2才児イヤイヤ期の育て方
佐藤眞子
主婦の友社

2児の母にして児童相談所などで育児・教育相談を担当してきた著者が「何でも自分でやりたい」と考える自立期にある2歳児との接し方を明かす。'07年刊

第068回

職場の後輩を好きになってしまいました

相談者●ハマの兄貴（ペンネーム）会社員 40歳 男性

今の職場へ転職して7年、仕事の忙しさを理由にしてプライベートは何もせずだらだらと過ごしてきました。ところが今年40歳になり、今の職場で初めて後輩が入ってきました。年下だから可愛がりすぎたのか、いけないと思いつつも好きになってしまいました。そして、このまま独身ではなく、やっぱり結婚したいと思うようになりました。ただ彼女なしの生活を長く続けたせいか、女性との接し方がわからなくなりました。後輩を好きになってもどうやって自分に振り向いてもらえばいいのかわかりません。結婚まで進むにはどう取り組んだらいいのかわかりません。

私の部下のB君はストーカーになった

職場で自分が教育係を務めている新入社員に恋愛感情を抱くと、とんでもないトラブルに発展するリスクがあります。外務省で私が実際に見た例の、さわりを記しておきます。

〈酒乱も問題だが、男女関係で問題を起こす人間も厄介だ。（中略）筆者が、短期間の特命チームのリーダーを務めたときの部下だったB君がその例だ。／当時、B君は30代半ばだったが、独身生活をエンジョイしていた。イギリスでもロシアでも女性には不自由していなかった。外務本省に戻ってからは、もっぱら研修生に標的を定め、狩りをしていた。そんなB君が、ある研修生に対し、ストーカーとなってしまったのである。／その研修生は、外国の大学で研修しているうちに冷静にB君との関係について考え、「仕事が出来る先輩と思って付き合っていたけれど、能力はごく標準的で、しかも女癖が悪い。こんな男と付き合っているとダメになる」という結論に至った。海を渡って訪ねてきたB君に「別れます」とはっきり伝えた。すると彼はストーカーに豹変した。／B君は、この研修生が研修を終え、某国の大使館で勤務するようになっても破壊的なストーキング行為を続けた。大使館だけでなく、この女性外交官が出張する先のホテルにも日本語と英語で「〇〇（女性外交官の実名）は、白人男の大きなチンポで、マンコを刺されてよがる淫乱女です」というようなファックスが送りつけられるようになった。外務本省にいながらB君は出張に関する公電（公務で用いる電報）を詳細に調べてストーキング行為を行っていた。〉（『組織の掟』１２０～１２１頁）

結局、本件には内閣情報調査室まで出てきて、外務省としては苦労して、闇から闇に葬りました。あなたが部下に純粋な恋愛感情を持っていたとしても、相手がそれを真っ直ぐに受け止めるという保証はありません。あるいは、最初はうまくいって恋人同士になっても、相手に好きな人ができたら、あなたは「セクハラ上司」「パワハラ上司」とされてしまうリスクがあります。

もっとも、40歳の男性が十数歳年下の女性と結婚するというケースは、再婚ならば、そう珍しくもありません。恋愛感情を持っているならば、率直にそのことを相手に伝えてみるといいでしょう。そのとき、小手先で術策を弄しないことが重要です。そして、相手に断られたならば、それ以上は絶対につきまとわないようにしましょう。ストーカー行為と相手に受け止められた場合、職を失うリスクがあることを軽視してはなりません。

結婚について真面目に考えているならば、行政が運営しているものでも、実績のある民間会社によるものでも構いませんが、結婚相談所に登録することをお勧めします。離婚歴があって、子供がいる女性にまで候補者の範囲を広げれば、よいパートナーと巡り合う可能性がかなり高まります。頑張ってください。

参考文献

組織の掟
佐藤優
新潮新書

「組織は上司に味方する」「後輩のために仕事をサボれ」など、"最恐"の組織・外務省にいた著者が説く、ビジネスパーソン必読の実践的処世術。'16年刊

第069回

簡単な用件でも電話してくる人が嫌いです

相談者●非インテリ（ペンネーム）会社員 35歳 男性

すぐ電話してくる人が嫌いです。メールやＬＩＮＥがあるのに、わざわざ簡単な用件を伝えるために電話してくるなと。非効率です。文化的にうちの会社は、何事も電話でやり取りしろ、メールはコミュニケーションではない、という風潮があります。確かに昔の人は電話でのやり取りが中心だったので、年配の人は一方通行のメールでのやり取りには人間味がないと感じるのかもしれません。私が単に話すことに億劫さを感じているところもありますが、佐藤さんはどうお考えでしょうか？　やはり、対面で会ったり、電話したりするコミュニケーションを徹底したほうがいいのでしょうか？

人間関係の希薄さはセックスに表れる

対面で会わないと、リアルな人間関係がわからなくなる危険があります。作家の湯山玲子さんとの対談でＡＶ監督の二村ヒトシさんが次のように言っています。

〈若手のＡＶ男優を見ていると、撮影現場の数が増えているから彼らは何百人の女優と、売れてる人だと１０００人以上の女優との本番を数年で経験しちゃうんだけど、上の年代の男優と違って、セックスがあっさりしている。今の撮影現場は、女優がイカない人だと、イッたふりをしてもらって、男優が射精してそれで終わりというのが多いからです。昔は、どうしてもイカない女優を、丸一日とか二日とかかけて、同じ男優がじっくり挑むみたいな撮影がそれなりにあった。今は、そういう撮影をする予算もないし、需要もない。そうすると若い男優は発射回数はこなせるんですが、チンコの硬さではベテランに劣ったりする。肉体の問題じゃなく、脳の中に「エロさ」のイメージが少ないからだと思う。でも、本当にスケベな男性、女性の欲望に応えることを人生の目的にするような男性が完全に滅びてしまうとは、やっぱり思えない。（中略）だからこそ、大人の女性が、若い男の子たちを見下したり劣等感を抱いたりするんじゃなくて、〝対等な人間〟になることで彼らを性的に教育していってほしい。ただ、かっこいい若者は、恋愛中毒の若い女の子と「つまらないセックス」をしていて、彼らなりに絶望しているようなんですよ。そういうんじゃない、まだあか抜けていない純情な男の子の中に教育しがいのある優良物件がいると思うんだけど。〉（『日本人はもうセックスしなくなるのかもしれない』35～36頁）

若手のＡＶ男優がセックスにあっさりしているのは、リアルな人間関係が希薄になっていることと関係していると思います。こういうＡＶの需要者である男性たちも、リアルなセックスよりもバーチャルかつ、一方的な情報伝達に慣れてしまい、実際に女性とセックスすることが苦手になってしまうのだと思います。

私は、メールやSNSも重要なコミュニケーション手段であるというあなたの意見に賛成します。一応、双方向性も担保されています。しかし、問題なのは、言葉が単純なのでテキストのやり取りだけを繰り返していると、読む力が衰える点にあります。読む力が衰えると、聞く力、話す力、書く力も、それとともに衰えていきます。その結果、知力が弱くなっていきます。

こういうリスクがあるので、メールだけでなく、直接、人と会うことはとても重要です。それですから、あなたにとって重要な人との関係については、メールやSNSではなく、直接会うことをお勧めします。それができない場合は、スカイプなどのテレビ電話を使って、息づかいを感じるような関係を維持することがいいと思います。

参考文献

日本人はもうセックスしなくなるのかもしれない
湯山玲子／二村ヒトシ
幻冬舎

恋人のいる若者が減り、童貞率は上昇し、夫婦間のセックスレスは当たり前。日本にはびこる「セックスは面倒くさい」をテーマに著述家とAV監督が対話。'16年刊

第070回

佐藤さんは「忖度」したことがありますか？

相談者●君の名は（ペンネーム）会社員 40歳 男性

一時、ニュース番組は森友学園の話ばかりでした。100万円の寄付があったのか、不正があったのかはよくわかりませんが、しきりに使われる「忖度」ほどあやふやなものはないかと思います。「私は忖度しました」という記録なり、証言が出てこないと証明できないもののような気がします。そこで佐藤さんにお聞きしたいのですが、外務省時代に佐藤さん自ら忖度する、ないしは忖度している人（官僚）を見たことはありますか？ もし、ありましたら、どのようなときに忖度するのか具体的に知りたいです。

忖度できない官僚は出世コースから外れる

'17年から「忖度」という言葉が新聞やテレビの報道で出てくるようになりました。忖度とは「他人の気持ちを推し量ること。推察」という意味ですが、推察よりは、「推し量ったうえで、何かする」という能動的なニュアンスがあります。森友学園事件に関連して、直接指示を仰ぐと面倒なことになりそうな事案について、官僚が首相夫人や国会議員の意向を忖度して行動したことが問題になりました。しかし、このときになぜか「推察」という言葉は使われずに忖度という表現が使われました。

ちなみに忖度という言葉を聞くと、私は'02年の鈴木宗男疑惑を思い出します。外務官僚は、「鈴木先生の指示を受けたわけではないが、気持ちを忖度して行動した」という釈明を外務省内の調査でも、検察庁の取り調べに対しても行っていました。鈴木氏に直接指示を仰いだり、命令を受けたことがないことを強調し、共謀とされることを防ぐために忖度という言葉を外務官僚は多用したのだと思います。普段は官僚の世界で「気配り」と言われているような事柄が、疑惑になると忖度と言い換えられるというのが私の解釈です。

忖度は、人間社会を円滑に進める重要な機能だと私は考えています。そのことを意識するために、忖度ができないASD（自閉症スペクトラム障害）の人について考えてみるといいでしょう。

〈ASDの症状として特徴的なものが対人関係の障害であり、「自閉」「引きこもり」の症状を示すこともみられる。しかし、これは統合失調症や対人恐怖症などでみられる「自閉」とは様子が異なる。／他の疾患における「自閉」は、不安や恐怖感が原因であることが多い。だが、ASDの人は他者の存在に対する関心が薄いため、他者からの孤立を招くこととなる。ASDにおいては一見すると対人関係に積極的であるように見えることもあるが、関係は一方的で深いかかわりを築けていないケースもよくみられる。／ＡＳＤの当事者は、自分の思ったことや本当のことを言いたいという考えを押さえることができないことが多い。このため唐突な発言をしやすく、周囲に対する社会的な配慮が十分でないと感じられやすい。／このような状況や周囲の反応を本人は次第に認識するようになる。思春期以降、自分が普通でなく変わっていること、常識がないと見なされていることに気がついていき、なるべく他人から距離をとるようになるケースもある。〉（『発達障害』43〜44頁）

このような人は、忖度が苦手です。官僚にもいますが、そういう人は政治家と仕事をすることは、まずありません。まれにこのタイプの人が政治家の秘書官や付（づき、ランクの低い秘書官）になることがありますが、政治家から「こいつは気が利かないのでなんとかしてくれ」と言われて、異動することになります。忖度ができない官僚は出世から外れますが、政治家絡みの事件に巻き込まれることもありません。

参考文献

発達障害
岩波明
文春新書

「人の気持ちがわからない」「失敗を繰り返す」「極端なこだわり」などの特徴がある発達障害。日本初の専門デイケアを運営する病院長がその実態を解説。'17年刊

第071回

友達も彼女もいない42歳中年童貞です

相談者●マッド（ペンネーム）会社員 42歳 男性

私は、友達がいません。彼女もいません。しかも、中年童貞です。子供のころから、変わり者扱いされて忌み嫌われてきました。引っ込み思案で、うまく周りになじめませんでした。学校のグループ決めとかは必ず最後で、また「マッドか」とか言われて。いじめらしいいじめはなかったけど、無視というか、いないも同然でした。友達はいなくても、結婚して子供ができればと思うけど、こんなんじゃ無理かなと。

高学歴童貞を主人公にしたのが『逃げ恥』です

童貞であることはまったく意識する必要はありません。それよりも真剣にパートナーを見つけることを考えましょう。

高学歴で仕事がうまくいっている人でも、童貞と思われる人は私の周辺に何人もいます。

この現実を反映し、'16年にヒットしたのが、テレビドラマ『逃げるは恥だが役に立つ』（逃げ恥）です。星野源さん扮する津崎平匡は、35歳の「プロの独身」です。京都大学工学部卒で優秀なシステムエンジニアです。「プロの独身」とは、家庭を持たないと決めて一生独りで生きていく決意を固めている人のことです。平匡は、家事代行業に森山みくり（新垣結衣）を雇います。２人は契約結婚をします。みくりが家事をする対価として平匡が月に19万４０００円を払います。もちろんセックスはありません。しかし、一緒に住むうちに２人の間に恋愛感情が芽生えます。みくりには男性経験がありますが、平匡にはありません。ある夜、２人は一つになろうとしますが、うまくいきません。平匡はマンションを飛び出していきます。そのときにこんな独白をします。

〈津崎Ｍ「恐れていた。失敗を。ふがいない自分を」
津崎Ｍ「だから、プロの独身として、線を引き、壁を築いて、安全なところで、一人」〉（『逃げるは恥だが役に立つ　シナリオブック』３７６頁／Ｍは、モノローグの意味）

あなたも女性との関係で、「線を引き、壁を築いて、安全なところ」にいるという心理が無意識のうちに働いているのだと思います。42歳で定職についているならば、パートナーを見つけることは十分可能です。その際、恋愛至上主義を捨てることが必要です。

あなたもあと8年で50歳になります。体力が衰えると、何かをすることが億劫になって、パートナーを探そうとする気力もうせてしまいます。その場合、「プロの独身」という選択をすることになります。「プロの独身」だと、高齢になって仕事ができなくなり、また、介護が必要になったときに、すべてを自分でしなくてはならなくなります。そこで起きる面倒を削減するためには、有償のサービスを購入しなくてはなりません。「プロの独身」を貫くには、今のうちに生涯でどれくらいのお金がかかるかを計算して、貯金しておく必要があります。

あるいは、結婚紹介所に登録して、結婚相手を探すことです。その場合、相手に離婚歴があり、子供がいても、一緒にやっていくことができると思うならば、躊躇せずに付き合ってみることをお勧めします。

人類の長い歴史において、恋愛結婚が主流になったのは最近のことです。結婚によってセーフティネットを築くという選択肢もあっていいと思います。あなたが真剣にパートナー探しをするならば、必ず価値観と利害が一致する相手が出てきます。そして、結果として中年童貞から抜け出すことができます。

参考文献

逃げるは恥だが役に立つ シナリオブック
野木亜紀子（脚本）／海野つなみ
講談社

'16年に大ヒットした「逃げ恥」のシナリオブック。ドラマに仕込まれたパロディや小ネタなども完全網羅。制作の舞台裏まで詳述された一冊。'17年刊

第072回

佐藤さんのような説得力を身につけたい

相談者●キング（ペンネーム）会社員 48歳 男性

どうしたら佐藤さんのような説得力が身につきますか。相対的な相談内容に対してさざまな文献を巧みに引用し、そして、それらを膨大な量からマッチさせ、決定された尺に収められる技術を、拝見しては感心しております。当方、中間管理職でわずかな部下を抱えており、少しでも徳のある指導ができる人間になれればと思い、あつかましくも相談させていただいた次第です。よろしくお願いします。

私はしばらく公文式の教室に通いました

説得力をつけるためには、読む力をつけることです。外国語学習の場合を考えてみましょう。読む、聞く、書く、話すという4つの力のうち、読む力が残りの力の天井を定めます。母語（私たちの場合、日本語）に関しても、専門的な事柄については、読む力が能力の上限を定めることになります。もっとも小説家や学者の場合、書く力が他の力を、芸人の場合には、話す力が他の力を凌駕します。こういう特別な人たちを除けば、説得力をつけるためには読む力を向上させることがカギになります。日本人の読む力（読解力）が低下していることに、国立情報学研究所の新井紀子教授が警鐘を鳴らしています。新井先生は東京大学の入学試験を突破できるロボット、いわゆる「東ロボ」の研究をする過程で、中高校生の読解力が不足していることに気づきました。その実態についてこう述べています。

〈高校生の半数以上が、教科書の記述の意味が理解できていません。これでは、8割の高校生が東ロボくんに敗れたこともうなずけます。記憶力（正確には記録力ですが）や計算力、そして統計に基づくおおまかな判断力は、東ロボくんは多くの人より遥かに優れています。

このような状況の中で、ＡＩが今ある仕事の半分を代替する時代が間近に迫っているのです。これが何を意味するのか、社会全体で真摯に考えないと大変なことになります。（中略）

中高校生の読解力があまりに低い実態を訴えている理由は、この子たちが中学校を卒業するまでに、なんとしてでも教科書が読めるようにしないと、少子化に突き進んでいるのに移民は頑なに受け入れたくないという日本は、とんでもないことになるからです。日本は欧米に羨まれる画期的に低い失業率を達成しています。それを維持するには、最低限、作業マニュアルや安全マニュアルを読んで、その内容を理解する必要があります。そのためには、教科書が読める読解力が是非とも必要なのです。〉（『ＡＩ vs. 教科書が読めない子どもたち』２

28～229頁）
説得力をつけるためには読む力をつける。読む力をつけるためには、中学生、高校生レベルの教科書を正確に読めるようにすることが必要です。しかし、どうすれば読解力がつくかという処方箋はないと新井先生は言います。私もさまざまな試行錯誤をしています。一時期、公文式の教室に通って、中学レベルからの国語をやり直しました。記述式の問題集を解いていく過程で、読解力は着実に高まっていくと思います。

いずれにせよ、読み方を教えてくれるよい先生や先輩、友人との出会いによって、人格を通して学ぶことで、読む力がつきます。読む力がつけば、それを書く力、話す力に転換して説得力を強化することはそれほど難しくありません。急がば回れということわざのとおり、説得力をつけるためには中学レベルの教科書を正確に読む能力を身につけることから始めるといいでしょう。

参考文献

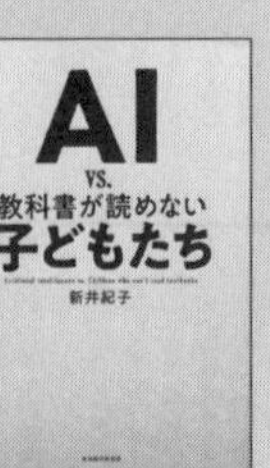

AI vs. 教科書が読めない子どもたち
新井紀子
東洋経済新報社

ロボット実験と同時に行われた学生の読解力調査で驚くべき実態が判明。仕事がAIに代替されるなかで気鋭の数学者が導き出した最悪のシナリオとは？ '18年刊

第073回

マルチタスクで仕事ができる人間になりたい

相談者●トリカブト（ペンネーム）会社員 34歳 男性

私はマルチタスクで仕事ができません。一つの仕事を任せられると、それに集中してしまい、ほかの仕事が後回しになってしまいます。先日もプレゼン用の資料（私は営業職です）の作成を任されていたのに、別の仕事で手いっぱいで忘れてしまい、先輩に迷惑をかけてしまいました。先輩から「うちの子供みたいなヤツだな」と嫌みなのか何なのかわからないことを言われました。佐藤さんは毎月ものすごい量の原稿を書かれると、本に書かれていたのを読みました。どうやって、多くの仕事を処理できる能力を身につけたのか教えてもらえないでしょうか？

食事しながらテレビを見るのもマルチタスク

マルチタスクで仕事をするのは本当に大変です。その理由は2つあります。時間不足とマンパワー不足です。この点について、海上自衛隊で護衛艦「はるゆき」艦長、自衛艦隊司令部幕僚長、横須賀地方総監などを歴任した堂下哲郎氏が興味深い指摘をしています。

〈時間的制約とマンパワー不足は司令部勤務の代名詞のようなものかもしれません。もたらされた情報量が個人またはグループの処理能力を超えている場合、「情報過多（Information Overload）」となるのは必定です。手早く処理するために、使い慣れた仮定や枠組みに適合する情報を採用し、新たな考え方を検討しなければならない情報は無視あるいは軽視される傾向が見られます。これにより、誤った仮定や枠組みが放置され、本格的な検討を要する情報の端緒を逸する可能性が考えられます。〉（『作戦司令部の意思決定――米軍「統合ドクトリン」で勝利する』１８７頁）

あなたも時間に追われて、抱えきれないほどの仕事があるのだと思います。一つの仕事に集中していると､ほかの仕事を忘れてしまうことはよくあります。この問題を解消するために、大学ノートを一冊用意しましょう。そこにこれからやらなくてはならない仕事を書き出しておきます。そして、プライオリティ順に番号を振っておきます。そうすれば仕事を忘れることはなくなります。重要なのは、メモ用紙やレポート用紙ではなく、必ず綴じられたノートに仕事リストを書くことです。そうすれば散逸することがありません。

仕事に関しては、日常的に行うルーティンワークと特別の課題を仕分けることが重要になります。ルーティンワークについては、どれくらいの時間で処理できるか、目安を摑んでおきましょう。誰でも自分で処理できる仕事量には限界があります。ルーティンワーク以外に与えられた仕事量があまりに多く、自分で処理できないことが明白な場合には「私の能力を超えています」と上司に言いましょう。そうすれば、仕事の割り振りを変えてくれます。段取りを整えれば、マルチタスクで仕事ができるようになります。

朝起きて、歯を磨いて、顔を洗って、トイレに行って、着替えをし、鞄に必要なものを入れて、食事をしながらテレビを見るなど、あなたもすでにマルチタスクを実践しているのです。仕事でそれができないはずはありません。

先輩に多少の嫌みを言われても気にする必要はありません。あなたは34歳ですから、会社員としてすでに10年以上の経験があると思います。会社は10年間、利益をあげることができない人ならば追い出します。あなたの存在が会社に貢献していることは間違いありません。自己の能力を過小評価してはいけません。情報と仕事の量に押し潰されないように、仕事にプライオリティをつけていけば、要領は必ずよくなっていきます。

参考文献

作戦司令部の意思決定
米軍「統合ドクトリン」で勝利する
堂下哲郎
並木書房

複雑な軍事作戦を立案するうえで、政軍関係者の間で不可欠とされている米軍の「統合ドクトリン」。進化する意思決定のプロセスは、ビジネス界でも通用する。'18年刊

第074回

東大卒のエリート男性と出会う方法を知りたい

相談者●misaki(ペンネーム) 会社員 34歳 女性

最近マッチングアプリで知り合った京大出身のコンサルの男性と別れました。自分の好みについては顔や身長などの見た目はこだわらないのですが、頭がよくて優秀な人(東大などを出ているエリート)がいいと思っています。私は地元の国立大学を卒業していますが、学生時代は実家のトラブルにより、今とは別人くらい闇を抱えていたため友達も数人程度です。30代半ばで見た目はときどき褒められる程度です。出会いについては、町に買い物に行ったりカフェに仕事の勉強をしに行くくらいしかアクションを起こせていません。休日など何かおすすめの場所や行動の仕方などありましたら、ぜひともご教授ください。

国会議員秘書になればエリートに出会えます

京大卒の男性を見つけるにあたって、あなたは2つのミスをしました。第一はマッチングアプリを使ったことです。安価な手段では安価な男しか見つかりません。数十万円かけて実績ある結婚相談所に登録すれば、もう少しよい結果が得られたと思います。

第二の失敗は、エリートの基準を大学で考えていることです。日本の大学の水準は国際的に見て決して高くありません。この点について、竹中平蔵氏の説明が説得力を持ちます。

〈「今後10年で世界大学ランキング１００に10校のランクインを目指す」（13年5月、安倍首相の「世界に勝てる大学改革」）とした政府目標も、実現にはほど遠い。

英高等教育専門誌『Times Higher Education』の「THE世界大学ランキング」２０１９年版によると、１・２位は前年と同じ英オックスフォード大とケンブリッジ大、３位は米スタンフォード大（中略）日本からトップ１００入りしたのは、東京大42位（前年46位）と京都大65位（同74位）だけだった。

13年に東京大27位より下だった中国・清華大、シンガポール国立大、北京大、香港大というアジア勢はいずれも、19年には東京大よりも上位にある。

日本の大学の「教育力」や「研究力」が、アジアの伸び盛りの大学と比べて大きく失われたことは、間違いないだろう。〉（『平成の教訓　改革と愚策の30年』１３７〜１３８頁）

東大卒、京大卒という基準だけで、男を選ぶと失敗する公算が高いです。

あなたは、「出会いについては、町に買い物に行ったりカフェに仕事の勉強をしに行くくらいしかアクションを起こせていません」と述べていますが、消極的な方法でパートナーが見つかる可能性は、ほとんどありません。「休日など何かおすすめの場所や行動の仕方などありましたらぜひともご教授ください」ということですが、エリートの独身男性は仕事を中心に生活をしているので、職場でパートナーを見つけるのが最も合理的です。

エリートは東京に集まるので、地元の企業にいては、見つけるチャンスが少なくなります。他方、東京の上場企業にこれから転職することも、現実的に考えてかなり難しいと思います。もし、どうしてもエリート男性との出会いの場を確保したいのならば、国会議員の秘書になることです。特に東京の議員会館で勤務することになれば、エリート官僚、記者、会社員などと知り合う機会が確実にあります。

そこから結婚に繋がった例もあります。国会議員秘書はかなりの激務ですが、真剣に探せば（特に選挙後、国会議員の入れ替わりがあるとき）、見つかる可能性があります。

もっとも、社会的にエリートとされている男性と結婚しても、あなたが幸せになるという保証はありません。結婚は、相手のスペックよりも相性で決めたほうがいいと私は考えます。

参考文献

平成の教訓
改革と愚策の30年
竹中平蔵
PHP新書

平成は改革と愚策がまだら模様を織りなした時代だった――小泉政権で大臣を歴任した平成改革の立役者がその内幕と「平成の教訓」を考察した一冊。'19年刊

第075回

インテリジェンスの力で人を見る目を養いたい

相談者●匿名希望（ペンネーム）元会社役員 55歳 男性

インテリジェンスの世界に身を置いた佐藤さんにお聞きしたいことがあります。人を見る力を養うにはどうしたらいいでしょうか？ 私は何度も騙され、裏切られ、嘘をつかれ、人間不信になるようなトラブルに巻き込まれてきました。もはや親しい友人以外は信用できません。今後、信頼できる人間や一緒に事業を起こしてもいいと思える人間、安心してお金の貸し借りができるような人間を見つけたいです。

騙され裏切られるのも人間の自然な姿です

人間を見るうえで役に立つのがキリスト教の人間観です。キリスト教では、人間は原罪を持ちます。さらに、さまざまな罪を積み重ねます。罪が具体化すると悪になります。人間は、一人の例外もなく、悪を犯します。また人間が形成する社会にも悪があります。アメリカのプロテスタント神学者ラインホールド・ニーバーはこんなことを述べています。

〈人間は生命力と理性との統一体であるゆえに、生の社会的調和は、決して、純粋に合理的なものではありえない。そこには、合理的であると同時に情緒的で意志的でもあるあらゆる力や潜在力の相互浸透がある。しかし、合理的自由の力は、人間の共同体に、自然的な共同体よりも高い次元をもたらす。不確定に退行する自然の限界を超える人間の自由は、兄弟愛の純粋さや広がりの限界を固定することができないことを意味する。人間は、歴史の中で、そのような兄弟愛を求めて奮闘努力しているのである。兄弟愛についてのいかなる伝統的達成も、それらより高次の歴史的視点からの批判を免れるわけではなく、また、それぞれの新たな達成段階において堕落を免れているわけでもない。〉（『人間の運命――キリスト教的歴史解釈』２６６頁）

人間の社会は、合理的にできているわけではありません。そこには悪の要素があります。あなたは、ビジネスでパートナーに何度も騙され、裏切られ、嘘をつかれ、人間不信になるようなトラブルに巻き込まれたということですが、それが人間の自然な姿なのです。人を軽々に信じてはいけません。人間には悪に傾く性向があるということを、冷静に見つめることが重要です。安心してお金の貸し借りをしたいならば、友人は避けたほうがいいです。相手の資産を確認して、返済できる範囲で貸すべきです。借りる場合も、自分が担保できる枠内で借りるべきです。金銭貸借に友情を絡ませてはなりません。万一、お金の貸し借りをせざるを得なくなった場合には、公証人役場で公正証書を作成するといいでしょう。

一緒に事業をするときも、単に気が合ったからという理由だけで共同事業を行うと、トラブルが起きることが多いです。儲かっていないときは協力関係が順調に進んでも、多大な利潤が出るようになると、その分配をめぐってトラブルが生じやすくなります。事業に関しては人間的に信頼できる人よりも、仕事ができて、ビジネスライクな人のほうがいいと思います。また、事業を起こす場合には、誰かの資金に期待するのではなく、自力でお金を稼いだほうがいいと思います。

あなたはもう55歳ですから、今から新規の人脈を構築することは現実的でありません。過去に付き合った人の中から、ビジネスの能力が高く、性格的にもやっていけそうな人を選ぶのが得策と思います。事業を始める場合も、出資金に応じて株式を発行し、互いの責任を明確にしておいたほうがいいでしょう。

参考文献

人間の運命
キリスト教的歴史解釈
ラインホールド・ニーバー
(高橋義文／柳田洋夫 訳)
聖学院大学出版会

20世紀アメリカを代表する神学者の著書を邦訳。古代から近代にいたるさまざまな思想と対話しつつ、キリスト教の視点から歴史をひも解いた一冊。'17年刊

第076回

妻に負担のかかる不妊治療を続けるべきか?

相談者●不能者(ペンネーム) 会社員 40歳 男性

私に原因があって現在、妻と不妊治療中です。しかし、妻の身体的負担は相当なもののようです。セックスレスだったこともあって、治療によって子供を授かることにも抵抗があるようです。妻は「私だけが苦しい思いをするのは耐えられない」と治療の中止を口にするようになっています。不妊治療をやめたほうが妻のストレスは解消されると思うのですが、子供をつくるという共通の目標が失われたら、亀裂が生じるような気がして、考えるほど行き詰まってしまいます。おそらく、周囲の夫婦が子供を授かっても、この先、心の底から祝福できないでしょう。治療を続けるべきかどうか、アドバイスをいただけたら幸いです。

子を持つということが唯一の価値観ではない

奥さんが不妊治療に抵抗を覚えるのならば、中止することを視野に入れるといいと思います。まず、現在かかっている医師に今後、妊娠する可能性がどれくらいあるのか、医学的見地から助言を求めるといいでしょう。さらにデータをもらって、別の病院でセカンドオピニオンを求めるといいでしょう。お金はかかりますが、不妊治療を継続することと中止することの決断をする過程では、専門家から複数の意見を得たほうがいいと思います。

いずれにせよ、子を持つということが唯一の価値観ではないということを、あなたと奥さんが納得することが重要になります。神学者のカール・バルトがこんなことを言っています。

〈親にならない人もやはり存在するということである。結婚しないとか、あるいは結婚しても子供がないとか、こういうことは実際ありうるのである。そういう人はそれを一つの欠陥として感じるし、子供のある人は、子供があるということを感謝すればするほど、子供がない人のことを欠陥として感じるだろう。親になるということは人間存在の直接の喜びなのであって、何らかの理由でそれが出来ない人は、子供なしにすますという苦しみを担わなければならない。だが、子供がないということは決して不幸ではない。新約聖書の使信の範囲内では、子供を生むということ、つまり、人間の種族そのものを繁殖させなければならないという必然性はもはや存在しないのである。〉(『キリスト教倫理Ⅱ』155頁)

どうしても子供が欲しいということならば、特別養子縁組について検討してみることをお勧めします。厚生労働省のホームページから引用しておきます。

〈「特別養子縁組」とは、子どもの福祉の増進を図るために、養子となるお子さんの実親(生みの親)との法的な親子関係を解消し、実の子と同じ親子関係を結ぶ制度です。(中略)養

親になることを望むご夫婦の請求に対し、下記の要件を満たす場合に、家庭裁判所の決定を受けることで成立します。〉

特別養子縁組をあっせんする団体に登録して、まず子供の里親に最低半年間なって、その後、家庭裁判所の決定を得て子供を特別養子に迎えます。特別養子と実親の戸籍上の親子関係は切れますので、法的には実子と同じ扱いを受けます。私の周囲には特別養子を迎えている家庭がいくつかあります。実の子供とまったく変わらずに育っています。ほとんどの人が長期間、不妊治療を受けたが、子供ができる見通しが立たなかったため、特別養子縁組制度を用いて子供を迎えることにしました。

あなたは40歳です。今、子供を授かったとしても、子供が現役で大学に進学し、卒業するときにあなたは62歳になっています。そうしたことを考えるならば、時間をかけて不妊治療を行うか、特別養子の可能性を探るかについて、早く決断したほうがいいと思います。

参考文献

キリスト教倫理Ⅱ
カール・バルト（鈴木正久 訳）
新教出版社

20世紀最大の神学者と呼ばれる著者が、健康や生命、労働、戦争、自殺、安楽死など、さまざまな問題を究明し、教会の責任について考察した一冊。'64年刊

第077回

無知だけど声は大きい芸能人の政治的発言に辟易する

相談者●よーた（ペンネーム）会社員 27歳 男性

芸能人がツイッターで騒いで政府が折れる最近の情勢に辟易します。'20年には検察庁法改正に抗議しますというハッシュタグが流行りましたが、ツイートしている芸能人は大半がハッシュタグを呟いているだけで、佐藤さんや堀江貴文氏のように論拠をもって冷静に見解を述べた人は皆無でした。この件だけでなく女優の柴咲コウ氏のツイートが原因で種苗改正法の成立が一旦断念されました（'20年12月に改正種苗法成立）。このように無知だけど声だけは大きい芸能人が騒いで善い法案まで反故にされるのは由々しき問題だと思います。こんな状況でまともな政治ができるのか愛国者の佐藤さんのご意見をお伺いしたいです。

SNSの普及で「思考の放棄」が加速した

大衆社会においては、自分がよく知らない分野について発言しても構わないという雰囲気が醸成されます。スペインの哲学者ホセ・オルテガ・イ・ガセットの見解が参考になります。

〈現代の特徴は、伝統を持つ選ばれし少数者集団の中においてさえ、大衆や俗物が優勢になっていることである。本質的には特殊な能力が要求され、それを前提に成立している知的分野の中にさえ、資格のない、あるいは与えようのない、その人の精神構造から判断して失格者の烙印を押すしかないような似非知識人が、日ごとに勝利を収めているのが現実なのだ。（中略）社会の中のさまざまな分野の業務や活動や機能の中には、特別な資質がないかぎり実践できないことがたくさんある。たとえば、芸術や、ある種の贅沢な楽しみがそうだろうし、政治について言えば、統治とか公共問題に対する政治的判断の機能といったものもそうだ。かつて、これら特別な活動は、才能ある、もしくは少なくとも才能があると自負する少数者によって遂行され、大衆はそれに介入しようとは思っていなかった。もし介入しようとするなら、それにふさわしい特別な資質を獲得し、大衆であることをやめなければならないことを知っていたからだ。（中略）私たちは、あの事例が、まぎれようもなく大衆の態度の変化を告げていることに気づく。あの事例はみな、大衆が社会の前面に躍り出て、これまでは少数の人に限定されていた施設を占拠し、文明の利器を自ら使用し、楽しみを享受しようと決意したことを示している。〉（『大衆の反逆』70～72頁）

芸能人は、落語、演劇、映画などでは、他の人にない特別な能力を持っています。しかし、政治、法律、経済などの問題については素人です。ワイドショーでは、素人であってもすべての問題について、よく知っているような顔で話をしなくてはなりません。

ワイドショーは、あくまでもショー（興行）なので、「ここでの話を真に受けてはいけない」と視聴者は冷静に受け止めなくてはならないのですが、実際にはそうなりません。資本主義社会におけるテレビ（公共放送を除く）は、広告料によって成り立っています。視聴率が上がると広告料も増えます。ですからテレビ局としては、少しでも視聴率を上げるという観点からコメンテーターを選びます。視聴者がワイドショーに慣れてしまうと、有名人の言うことをそのまま信じるようになります。もしわからないことがあっても、誰かが説得してくれるだろうと受動的になってしまうのです。

思考を放棄する態度がインターネットの普及につれて加速してしまいました。その結果、芸能人が発信する特定の政治的立場に、よく考えずに付和雷同するようになるのです。こういう状況はファシズムに繋がりかねないので危険です。何事につけ、自分の頭で考える習慣をつけることが重要です。

参考文献

大衆の反逆
オルテガ・イ・ガセット（佐々木孝 訳）
岩波文庫

使命を顧みず、皆と同じであることに満足しきった「大衆」が世界をいかに変質させたか。1930年に刊行された20世紀の名著を完全復刻。'20年刊

第078回

同性愛者に差別的な職場に悩んでいます

相談者●悩み看護師（ペンネーム）看護師 42歳 女性

ご相談させていただきたいことは「差別」への対応です。現在働いている病院に入院中の男性患者に、同性パートナーがいます。同居しており、30年以上の付き合いだそうです。この2人に対して職場が差別的です。「カマ野郎」「変態だ」と公言するスタッフがいます。面会を望むパートナー氏に「あなたは家族じゃない、他人だから無理」と、断ったスタッフがいます。私が主治医と上司に交渉し、面会は可能になりましたが、「赤の他人なのにおかしい」と文句を言うスタッフもいます。私は、同性カップルが差別されるのはおかしいと感じます。何か、法律とか書物とか、私の主張のエビデンスとなるものはないでしょうか。

人権に敏感な左翼にも同性愛者差別があった

同性愛者に対する偏見は、人権に敏感なはずの左翼にもあります。社会党左派に強い影響を与え、岩波文庫版の『資本論』を翻訳した向坂逸郎氏（'85年没）にも、こんな出来事がありました。

〈東郷健との対談（『週刊ポスト』'78年新年号）で、向坂は「ソヴィエト社会主義社会になれば、お前の病気（オカマ）は治ってしまう」「こんな変な人間を連れて来るなら、もう小学館の取材には一切応じない」等の暴言を吐き、激怒した東郷は中座した。〉（ウィキペディア「向坂逸郎」より）

向坂氏は社会党の理論集団である社会主義協会の代表でした。社会党の後継政党である社会民主党も、社会主義協会もその発言を批判しています。

〈2002年、東郷の半生記『常識を超えて──オカマの道、七〇年』（ポット出版）出版記念パーティーの席上、社民党総合企画室長（当時）の保坂展人は、党を代表して向坂の発言を取り消し、謝罪した。また社会主義協会も、論文『セクシュアルマイノリティと人権』（宮崎留美子）を機関誌『社会主義』同年9月号に掲載し、向坂の差別発言を自己批判している。〉（同）

しかし、'18年発売の向坂氏の評伝には、〈政治的に反対の立場にあった者も含め、誰にたいしてもわけへだてしなかったが、さすがに東郷健にだけは、八〇歳になろうとしていた明治男にはがまんができなかったらしく、いったん座敷に上げたものの一五分でお引取りを願った。この件は、後々まで向坂の「差別視」の問題として取りあげられたが、これはばかしはいたしかたなかろう。〉（石河康国『向坂逸郎評伝　下巻1951〜1985』319頁）と記されています。'18年の時点でも向坂氏の差別発言を「いたしかたなかろう」と評価する姿勢自体の差別性に、石河氏は気づいていません。

人間にはさまざまな性的指向があります。それを多数派の見解で、異常とか正常と区別することは間違っています。あなたの価値観は正しいのですから、今の態度を貫けばいいと思います。社会には、建前と現実のズレが常にあります。私の知り合いにはゲイも何人かいます。その人の場合、結婚相手は女性ですが、2人の間に性的関係はありません。それでもお互いによく理解し合い、愛し合う素敵な家庭をつくっています。男性には、性的関係の友人がいますが、妻はそれで構わないと、まったく抵抗を覚えていません。家族にはさまざまな形態があります。同性のパートナーだからといって、病院での面会を認めないようなことは、絶対にあってはなりません。あなたの勇気ある日々の行動が社会を変えていきます。どうぞ頑張ってください。

参考文献

向坂逸郎評伝 下巻1951~1985
石河康国
社会評論社

九州帝大を「赤化教授」として追われ（のちに復帰）、世界初のマルクス・エンゲルス全集を編纂した日本を代表するマルクス経済学者の半生を描いた一冊。'18年刊

第079回

交際相手が「飼っている猫を捨てろ」と言います

相談者●さー（ペンネーム）OL 36歳 女性

結婚を前提に付き合い始めた男性（45歳）がいます。彼と付き合う以前から私は茶トラの猫（3歳）を飼っています。ところが、私が一緒に住もうと話すと、彼から「猫がいないならいいよ」と言われてしまいました。家が傷んだり、衣類が毛だらけになるのが嫌ということでした（一度だけ彼は私の家に来たことがあります）。比較的おとなしい子だから壁を引っかいたりすることはないと説明しても「無理」と言います。私にとっては家族同然の子を引き離そうとする彼の態度に愕然としています。彼を説得する方法はないでしょうか？　それとも私は猫か人間（彼）かを選ばないといけないのでしょうか？

捨てられたら人は生きられても猫は死ぬ

結論を先に言うと、あなたは猫か男性かを選ばなくてはなりません。男性はあなたと別れても生きていくことはできますが、猫は街中や河川敷に捨てられた場合、ほぼ確実に餓死か事故死します。保健所に保護されても一定の期間が経てば殺処分されます。譲渡会を行う自治体も数多くありますが、それでも健康を害した猫は殺処分になります。

　我が家には猫が6匹います。そのうち4匹は捨て猫でした。私と家内が保護しなければ、この4匹の猫は確実に死んでいました。そのうち2匹は茶トラです。あなたも気づいていると思いますが、茶トラはとても頭がよく、人懐こいです。あなたが次の飼い主を見つけて引き渡しても、あなたのことを覚えていて、寂しがると思います。

　猫も人間も命を持った生き物であるということでは同じです。同棲の条件として猫を捨てろという人ならば、今後、あなたが子供をつくること、あるいは養子をとることを考えるようになると、価値観の違いから男性との間で深刻な問題が生じると思います。

　終末期医療の専門家である大津秀一先生がこんなことを述べています。

〈死を意識するようになると、これまでの人生は良かったのか、あるいは正しかったのか、そして死後にはどのようになるのか、罰を受けるような来世が待っているようなことはあるのか、などと様々なことを考え思い悩むということは、個人差はあるものの、しばしば現場で認められるものです。〉（『幸せに死ぬために――人生を豊かにする「早期緩和ケア」』88頁）

　あなたもいつかは死にます。可愛がっていた茶トラ猫を捨てるようなことがあれば、死ぬ前になってきっとそのときのことを思い出し、後悔することになると思います。今付き合っている男性は、離婚歴があるでしょうか。離婚歴があるとすれば、前の奥さんと価値観のうえで共有できないことがあったのかもしれません。あるいは今まで結婚したことがないとするならば、我が強いので、相手の女性と折り合いがつかなかったのかもしれません。

いずれにせよ事態は深刻です。猫を飼い続けることができるかどうかという問題にとどまりません。これから結婚するかもしれない人との基本的価値観をめぐる問題だからです。

一度、率直にあなたにとって飼っている猫がどういう意味を持っているかについて、話してみるといいでしょう。「猫は家族の一員だ。3人で住みたい」という気持ちを伝えてみましょう。もしかすると相手の男性も考えを変えるかもしれません。相手が考えを変えない場合は、猫か男性かを選ばなくてはなりません。男性を選ぶ場合にも、猫の次の飼い主をあなたが責任を持って見つけてあげましょう。繰り返しますが、そうしないと猫が死んでしまうからです。人間に依存しなくては生きていけない動物を飼った以上、その責任だけは果たしてください。

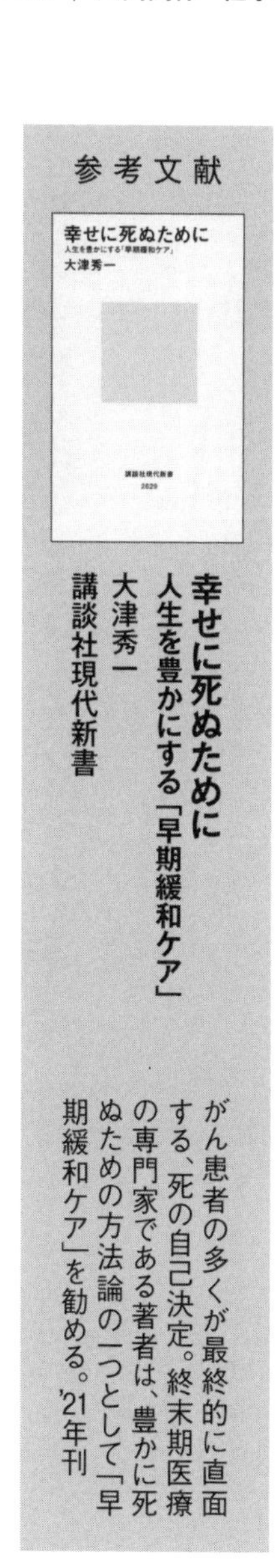

幸せに死ぬために
人生を豊かにする「早期緩和ケア」
大津秀一
講談社現代新書

がん患者の多くが最終的に直面する、「死の自己決定」。終末期医療の専門家である著者は、豊かに死ぬための方法論の一つとして「早期緩和ケア」を勧める。'21年刊

第080回

30年前に別れた元カレに会いたいです

相談者●ひびこ(ペンネーム) 会社員 47歳 女性

大学時代に2年半お付き合いした男性がいました。私はキリスト教徒の彼のことが大好きで、あるとき「子供を産んで、あなたを幸せにしたい」と伝えたところ、悩んでいました。当時、お父様をがんで亡くされ、仕事の不満などと板挟みになっていたようで、別れを切り出されました。復縁を迫りましたが、「僕のことは待ったらダメだよ」と言われました。1年くらい泣き過ごしてあきらめ、今の夫と出会い、30年近く経ちました。今は子供が2人いて幸せに暮らしていますが、その元カレへの気持ちが残っていて、ふとしたときにツライです。いつか彼の通っていた教会に行ってみたいと考えています。アドバイスをお願いします。

「見棄てられた」ことであなたは救われた

元カレとは絶対に会ってはいけません。なぜなら、「見棄てられた」ことによって、あなたは救われたからです。キリスト教には見棄てることによって救うという考え方があります。

〈神の子キリストは十字架にかけられて、「エロイ・エロイ・ラマ・サバクタニ（わが主よ、わが主よ、なぜ私を見棄てられたもうたか）」と嘆いたけれど、やがて復活しました。神がいったんイエス・キリストを見棄てたがゆえに、人間は救済されるのだ、という弁証法的な構造がドストエフスキーの中にはあります。／私は、家庭内暴力などに悩んでいる人たちに、聖書のこの部分を聞かせることがあります。「いつまでも手を差し伸べるんじゃなくて、ある段階でピタッと見棄てることも大切ですよ。神だってキリストを見棄てたんだから、あなたが見棄てても構いません。なんとかなります」と。〉（『生き抜くためのドストエフスキー入門』81～82頁）

あなたと元カレは、相性が合わなかったのだと思います。相性は、片方が合っていると思っていても、相手がそう思っていないならば成立しません。仏教的な言い方をするとあなたと元カレの間には縁がなかったということになります。元カレと別れた結果、あなたは今の夫と結婚することになりました。不満はあるかもしれませんが、離婚したいという強い気持ちがあなたにあるわけではないと思います。また子供も2人いて、幸せに暮らしているということなのですから、現状を大切にするのがよいと思います。

ところで、人間の心には魔物が棲んでいます。普段は封じ込められている魔物が、頭を持ち上げてくるときがあります。元カレに会いたいというあなたの心の動きは、仏教的に言うならば魔性の作用と思います。キリスト教的に言うならば悪魔があなたを誘惑しているのです。元カレと無理やり会った場合、互いの心が燃え上がる可能性は十分にあります。しかし、それは悪魔がともした炎です。あなたたちが別れてから30年も経っているので、相手には自分の生活があると思います。あなたが介入してくることで相手の平穏な生活が崩れます。それによって相手が幸福になるとは考え難いです。また、あなたの夫も、あなたが元カレに会っていることを知ったら不愉快に思うでしょう。あなたの2人のお子さんも悲しむことになると思います。母親として、子供を悲しませるようなことはしないほうがいいと思います。

人生には、さまざまな思い出があります。悲しかったことも時の経過とともによい思い出に変容します。思い出は思い出のままにしておいたほうがいいと思います。もちろん、元カレと一緒になっていたらどういう人生だったかを想像してみることくらいは許されます。しかし、それはあくまで想像の世界にとどめ、元カレと会うというような行動には踏み込まないことです。

参考文献

生き抜くための ドストエフスキー入門
佐藤優
新潮文庫

資本主義が誕生し、急速に発展していく時代を生き抜いたドストエフスキー。その格差と社会の歪みのなかで生き抜く人間を描いた5大長編作の読み方を一冊に。'21年刊

あとがき

現代は乱世だ。ウクライナ戦争は、実質的にロシア対米国を中心とする西側連合の戦争になってしまった。この戦争は長期化する可能性が十分ある。これが私たちの生活にも影響を与える。例えば、ロシア語を勉強したいと学生に相談されたとき、一昨年ならば私は「モスクワ、サンクトペテルブルグ、あるいは極東のウラジオストクかユジノサハリンスクに1年間留学して、ロシア語漬けになるのが一番いい」と勧めていた。しかし、ロシアがウクライナに侵攻した後、このような助言はできなくなった。ロシアは日本を非友好国と見なし、学生に対して簡単に査証を出さなくなったからだ。

これからは「脅威」としてのロシア研究がとても重要になる。日本国家のためにはロシア語が堪能な人が増えなくてはならない。日本国内のみで高度なレベルのロシア語を習得できる教育システムを整えなくてはならない。政治的に日本はアメリカと協調し、ロシアを厳しく非難しているが、サハリンからの天然ガスの輸入は今後も続ける。ロシア産海産物の輸入にも制限を加えていない。またロシアの航空機に対して、領空を開放しているのもG7諸国では日本だけだ。そもそも日本はウクライナに殺傷能力を持つ兵器を供与していない。そのためロシアの日本に対する姿勢はアメリカ、イギリス、ドイツに対するよりは厳しくない。しかし、こういう情報は新聞やテレビの報道からでは得られない。

混沌とした時代に正確な情報を得て判断するのに重要なのは書籍だ。ウクライナ戦争の今後に関しては、『プーチンの野望』（潮新書）、『よみがえる戦略的思考』（朝日新書）などの私の本を読んでいただければ、大きな方向性を間違えることはないと思う。また、東郷和彦氏（元外務省欧州局長）の『プーチンvs.バイデン——ウクライナ戦争の危機　手遅れになる前に』（ケイアンドケイプレス）、西谷公明氏（元在ウクライナ日本大使館専門調査員、元ロシア・トヨタ社長）の『ウクライナ　通貨誕生：独立の命運を賭けた闘い』（岩波現代文庫）を読んでいただければ、基本的判断を誤ることはない。テレビに出てくる元プラモデルオタクだった軍事専門家の兵器に関する蘊蓄や太平洋戦争中ならば国防婦人会で活躍していたような威勢のよい人の話は情勢分析にとって雑音の役割しか果たさない。

私は「読書のための読書」「知識のための知識」というアプローチに関心がない。それには2つの理由がある。第1は、私は外交実務家（外交官）だったので、いくら情報が正しくてもそれが実際の政策に影響を与えなければ意味がないと考えているからだ。第2は、私がキリスト教徒だからだ。キリスト教には受肉という考え方がある。全能の神は、神としてとどまることに満足せず、人間（イエス・キリスト）になった。このことを神学用語で受肉という。言い換えると、理念は現実になって初めて意味を持つということだ。こういう発想で、私は読者の人生相談に答えている。

私は慢性腎臓病が悪化し、'22年1月から週3回、大学病院で1回4時間の血液透析を受けている。透析は身体に対する負担が大きく、私には身体障害者手帳1級（最も重い等級）が発給されている。実は今年2月には死にかけた。血液に細菌が入ってしまい（菌血症）、発見が遅れれば、敗血症ショックを起こして死ぬところだった。今回は、いくつかの偶然が重なって命拾いした。

私はプロテスタント神学者であるので、この偶然には意味があると考える。命は神から預かったものだ。いつかは神に返さなくてはならない。まだこの世の中で私にやるべきことがあると神が考えているので今回は命を残してくれたのだと思う。私が尊敬するチェコのプロテスタント神学者ヨゼフ・

佐藤 優（さとう まさる）

'60年、東京都生まれ。'85年に同志社大学大学院神学研究科を修了し、外務省入省。'95年まで在英日本国大使館、在ロシア連邦日本国大使館に勤務した後、外務本省国際情報局分析第一課に。主任分析官として活躍したが、'02年に背任と偽計業務妨害の容疑で逮捕・起訴。東京拘置所に512日間拘留されることに。'09年、最高裁で上告棄却されたことにより有罪が確定し、外務省の職を失う。作家としては『国家の罠　外務省のラスプーチンと呼ばれて』（'05年・新潮社）で毎日出版文化賞特別賞を、『自壊する帝国』（'06年・新潮社）で新潮ドキュメント賞と大宅壮一ノンフィクション賞受賞。このほか『佐藤優の地政学入門』（'22年・学研プラス）、『ウクライナ「情報」戦争』（'22年・徳間書店）など著者多数

写真：菊竹 規
ブックデザイン：鈴木貴之

生き抜くための読書術

発行日　2023年4月20日　初版第1刷発行

著　者　佐藤 優
発 行 者　小池英彦
発 行 所　株式会社 扶桑社
〒105-8070
東京都港区芝浦 1-1-1　浜松町ビルディング
電話　03-6368-8875（編集）
03-6368-8891（郵便室）
www.fusosha.co.jp

印刷・製本　大日本印刷株式会社

Printed in Japan　ISBN978-4-594-09160-6

ルクル・フロマートカは各人には神に命じられた召命（使命）があると強調し、こう述べている。
〈使命は無条件である。召命を受けた者は、託された使命を進んで行うための条件を設けてはならない。自分の使命にいついつまで、という期限も設けてはならない。使命は生涯続くもので引退も休暇もない。つまり、信徒は使命を人生のあらゆる状況で果たす。使命は健康で体力があるときのみに限られない。病床でも死の床でも変わりなく果たすものである。重病人や衰弱した人が忠実さ、忍耐、我慢、愛によって、言葉で表せないほど大きな奉仕をやり遂げたことも何度となくあった。パウロは召命を受けた証人であり続けた。皇帝の囚人としても神の国を宣べ伝え、主イエス・キリストのことを教え続けた（使徒言行録28章31節）。パウロは獄中でも何通か手紙を書き、むしろこの境遇に陥ったからこそ福音を前に進めることができたと喜んだ（フィリピの信徒への手紙1章12節以下）。こうしたことから私たちが言いたいのはただ、何も口実にはならないこと、自分が置かれた境遇を言い訳にしてはならないということ（ルカ福音書9章59、60節）、そして自らの恵みによって私たちに呼びかけた主は、普通ならば使命を果たすことが困難に思われるような場所や状況でも私たちの使命の絶対性を授けてくれることである（マタイ福音書10章16－20節）〉（『人間への途上にある福音 キリスト教信仰論』29～30頁）

このフロマートカの言葉の影響を受けて、私は同志社大学神学部と大学院を出た後、牧師やキリスト教主義学校の聖書科の教師にならずに外交官になり、その後は作家に転じて今日に至っている。この原点に立ち返り、自らの良心に基づき、自らの使命を果たす形で作家活動を続けようと思っている。

'23年3月29日　曙橋（東京都新宿区）の自宅にて

佐藤 優